Obsessie

Joost Heyink

Obsessie

Van Holkema & Warendorf

Voor Jole

Dit boek is een van de kerntitels van de Jonge Jury 2004

Derde druk 2003

ISBN 90 269 9621 7
NUR 284
© 2002 Uitgeverij Van Holkema & Warendorf,
Unieboek BV, Postbus 97, 3990 DB Houten

www.unieboek.nl

Tekst: Joost Heyink
Vormgeving: Johan Bosgra bNo, Baarn
Omslag: © Clara Neuimie/PhotoAlto
Opmaak: ZetSpiegel, Best

Lieve lieve Paul,
Het spijt me zo.
Je mag niet boos zijn, je kunt niet boos zijn! Ik moest het doen, dat begrijp je
toch? Ik kon je toch niet zomaar laten gaan?
Natuurlijk begrijp je me. Jij denkt van niet, maar ik weet wel beter.
Bel me.
Als je morgen niet belt, weet ik niet of ik er nog wel ben. Dat wil je toch niet
op je geweten hebben? Nou dan.
Ik hou van je.
Jeweetwel

Paul voelde aan zijn rechteroor.

Natuurlijk, het grootste deel zat er nog, maar de bovenkant zou nooit meer helemaal aangroeien, wist hij. Het korstje was er na een paar dagen pulken bijna af.

Voor de zoveelste keer had hij gedacht dat het voorbij was.

Niet, dus.

Weer zo'n briefje. Weer die chantage. Erger kon het niet worden.

Maar dat had Paul verkeerd gezien.

Verschrikkelijk verkeerd.

1

Zes weken daarvoor

'We want more!' riep iemand uit het publiek. Dat was een beetje vroeg, want ze waren maar net begonnen.

De eerste twee nummers klonken nog wel goed.

Weliswaar was er een snaar geknapt van Willems gitaar, maar dat hoorde je niet. De snaren die het wel deden, hoorde je trouwens ook niet. Dat kwam voornamelijk door Beertje. Die speelde bas. En zo verschrikkelijk hard, dat de basspeaker soms kleine sprongetjes maakte.

Paul stond voor op het podium, microfoon in zijn hand, en hij lachte naar het publiek. *Mystery* was redelijk goed gegaan. Niet vals voor zover hij wist en de tekst was er goed uitgekomen. Eén keer kwam hij lucht tekort, maar dat had niemand gemerkt. Zijn solo op de mondharmonica ging perfect. Maar die ging altijd perfect.

Spannend, zo'n eerste optreden met de band, maar ook mooi. Zwaaiende meiden, schreeuwende jongens, applaus! Mooi!

Een beetje zorgen maakte Paul zich wel. Hij keek over zijn schouder naar Flip, de drummer. Als die zich maar goed hield. Flip was een fantastische muzikant, maar volslagen gestoord. Die kon zomaar kwaad worden en weglopen. Of gaan schreeuwen. Of de slappe lach krijgen zonder dat iemand wist waar het over ging. Misschien kwam het doordat hij de hele dag snoepte uit een doosje met onduidelijke paarse dingetjes.

Gestoord. Zo zag hij er ook een beetje uit. T-shirt met één mouw. De linkerkant van zijn hoofd kaalgeschoren, rechts lang haar. Een half baardje: alleen links. Een piercing, niet zoals het hoort in zijn neus of in een wenkbrauw, maar midden op zijn kin. Die was dus maar half te zien.

Paul liep naar Beertje. 'Zachter, man. Willem is niet te horen.'

Beertje grijnsde. 'Dat is maar goed ook.'

'Doe niet zo lullig.'

Hoogste tijd voor het volgende nummer: *Under Cover*.

Pauls absolute favoriet. Goeie roffel, mooie riedel, schitterend refrein.

I'm not the one you see.

Don't look.

Just feel me.

Paul stak zijn hand op en de band viel in. De eerste coupletten gingen fantastisch. Zelfs Willem was te horen. Het klonk beter dan op de repetities, besefte Paul.

Na het tweede couplet een lekkere mondharmonica-overgang.

Tioe tu tu tioe.

En nog een keer. Een keer zuigen, tweemaal blazen en weer zuigen.

Tioe tu tu tioe.

Nu het refrein. Het prachtige refrein.

I'm not the one you see.

Ging ook goed. Heel goed.

Don't...

En dat was het.

Bam!

Chaos. Absolute chaos.

Paul keek om en zag dat Flip de base-drum optilde en weer op de grond ramde. Doordat er een microfoon voor stond, gaf dat een verpletterend geluidseffect.

Willem was zo geschrokken dat hij met grote kracht een niet-bestaand akkoord had aangeslagen. Hij bloedde. De scherpe snaren waren in zijn vingers gedrongen. 'Ik bloed! Kijk dan, ik bloed!' riep hij in zijn microfoon, die eigenlijk voor de tweede stem bedoeld was. Daarna probeerde hij zich uit de draagband van de gitaar te wurmen, net zolang tot die om zijn hals gedraaid zat. Uiteindelijk slaagde hij erin de coulissen in te kruipen, waarbij hij een paar snoeren meetrok. Ook die van de microfoon van Paul. Dus die struikelde, omdat hij net naar voren wilde lopen om het publiek om even geduld te vragen.

Beertje speelde ondertussen gewoon door. Hij had – heel verstandig, heel professioneel – zijn volumeknop helemaal openge-draaid. Zo klonk er toch nog iets dat op muziek leek. Wel zo hard dat de hele zaal een beetje trilde. Vijf slordig opgehangen spotjes, precies boven de eerste rijen toeschouwers, konden daar niet tegen en kwamen naar beneden. Er waren zeker tien voormalige fans die later moesten worden behandeld.

Flip was aan het schreeuwen, maar in het lawaai was hij slecht te verstaan. Er zat veel 'rot' en 'shit' tussen en hij gooide met trommelstokjes naar het publiek. Dat vond inmiddels dat het wel iets terug mocht doen. Eerst waren het nog maar een paar toeschouwers die wat plastic bakjes met restjes saus en een enkel stuk frikandel naar het podium gooiden. Maar al snel kreeg iedereen de smaak te pakken en vlogen er bekertjes bier, aanstekers, kussentjes, lampjes en alles wat loszat in de richting van de muzikanten. Daarbij werd er telkens luid gejuicht als een projectiel doel trof. Vooral bij Flip werkte dat als een ideaal pepmiddel. Hij gooide nu terug wat hij maar kon losrukken. Doorweekt van cola en bier en met een fikse snee op zijn voorhoofd, drong hij op naar voren.

Paul was opgekrabbeld en stond op de rand van het podium. Hij had zijn armen omhoog en riep: 'Rustig! Ophouden!' Niemand die hem hoorde. Toen hij – flats! – een bekertje fris in zijn gezicht kreeg, gaf hij het op. Hij draaide zich om en zag dat Flip op het punt stond een versterker het publiek in te gooien. Hij dook op de drummer en samen klapten ze tegen de grond. Flip verzette zich niet meer en bleef rustig liggen. Zijn ogen stonden raar, zag Paul. Hij had nog nooit zulke rare ogen gezien.

Een uur later was de zaal bijna leeg. Nou ja, leeg... de vloer en het podium lagen bezaaid met troep die als projectiel had gediend. Hier en daar een schoen. Een enkel kledingstuk. Twee kapotte paraplu's. Vier tassen. En verder honderden vertrapte plastic bekertjes en nog veel meer.

Een paar jongens hadden de gelegenheid aangegrepen om wat te gaan vechten. Normaal deden ze dat alleen als ze naar hun voetbalclub gingen kijken, maar deze mogelijkheid was te mooi om te laten lopen. Uiteindelijk was de politie eraan te pas gekomen. Hier en daar kon je een plasje bloed zien, maar dat kon evengoed ketchup zijn van de hamburgers.

Flip was meegenomen naar het politiebureau. De zaaleigenaar had hem aangewezen als aanstichter van de veldslag. Willem was naar het ziekenhuis gefietst om zich te laten verbinden. En Beertje stond zijn spullen in te pakken. Hij schudde voortdurend zijn hoofd. 'Ik snap het niet. Ik snap het niet. Ik snap er niks van.' Zo ging het al een halfuur.

Paul zat op een krukje in een hoek van de zaal. Hij keek naar zijn schoenen en wreef door zijn haar.

'Hallo.' Een zachte stem. Rustig, warm. Hij kwam van ver en tegelijk van heel dichtbij.

Paul keek op.

En ineens werd alles anders. Het rotgevoel verdween achter een dikke muur. Geen stank meer, het rook opeens naar vroeger. Nee, niet naar vroeger, naar veilig, naar lekker. Er sidderde iets warms in zijn lijf. Paul kon even niet bewegen, laat staan iets zeggen.

'Wat ben je stil. En dat voor een zanger.'

Het lukte Paul om te glimlachen. Maar dat was voorlopig het enige dat hij kon. Naast hem stond een meisje hem zo verschrikkelijk lief aan te kijken. Met grote blauwe ogen. Maar dat was niet alles. Ze was prachtig. Een gezicht om voorzichtig vast te houden en te zoenen. Blond warrig haar. Vrij lang. Beetje mager maar toch mollig. Kon dat? Ja, bij haar wel. Kort leren rokje, heel veel benen, en een topje. En ze lachte.

'Ik heet Kim. Ik zag je vallen. En vechten. Ik heb je ook horen zingen, in het begin. Je hebt een mooie stem. Ik zou je nog wel eens *Under Cover* willen horen zingen.'

Die navel! Paul zat precies op ooghoogte met haar navel.

'Maar dan zonder die maffe drummer. De bassist en de gitarist zijn ook niet nodig. Alleen jij met je mondharmonica. Wat vind je?'

Paul kreeg langzaam weer enige controle over zijn hersens en spieren. 'De jongens spelen heel goed. Samen zijn we beter dan ieder voor zich.'

'Dat geldt misschien voor de anderen, maar niet voor jou.'
Paul stond op. Hij kwam maar net iets boven haar uit.
'En je heet Paul, of niet?'
'Hmm.'
Even was het stil. Lekker stil.
'Paul?'
'Wat is er?'
'Doe je het?'
'Wat?'
'Voor me zingen. Zachtjes. Alleen voor mij.'
Zijn hele lijf schreeuwde: Ja! Ik wil voor je zingen, voor je spelen, ik wil naar je kijken, ik wil je zien lachen, je vasthouden, ik wil helemaal in je duiken.
'Och, misschien. Een keer,' zei Paul.
Kim draaide zich om en liep weg. Na een paar passen bleef ze staan. Ze kwam weer naar Paul toe, pakte zijn hand en kneep. 'Nu. Niet "een keer". Nu.'
Die ogen. Dat gezicht. Het zachte, het harde.
'Nu?'
'Nu.'

Drie kwartier later was Paul wat verdwaasd op het podium aan het rondscharrelen. Hij was bezig de apparatuur van de band op te ruimen, maar het schoot niet op. Dat kwam doordat hij de spullen tussen de onwaarschijnlijke hoeveelheid rotzooi vandaan moest halen. Maar vooral doordat hij zijn hoofd er niet bij had. De ellende van het mislukte optreden deed hem niets meer. Dat gold niet voor zijn ontmoeting met Kim.
Ze had hem meegetrokken naar de gang, de nooduitgang door en de tuin in. Daar was het donker en stil.
Van zingen was niets gekomen.

2

'Schat, ik heb vanmiddag een golfafspraak met Monique Water-
gaar, je kent haar wel. Vergeet je je huiswerk niet?' Pauls moeder
stond voor de spiegel in de gang aan haar haar te plukken. Dat
deed ze altijd voor ze wegging.

Paul had vandaag helemaal geen tijd voor huiswerk. De website
moest af, dat ging natuurlijk voor. Hij smeerde twee boterham-
men en nam ze mee naar zijn kamer.

Als je de site van de band had opgestart, zag je vier foto's van de
bandleden. Lekkere louche foto's. Hij stond er zelf wel leuk op,
vond hij. Met zijn blondgeverfde piekhaar en dat nieuwe T-shirt.
I LOVE ME stond erop. Paul had altijd een T-shirt aan met een
maffe of stomme tekst. Het was een tic van hem. Hij had er wel
twintig in zijn kast liggen.

Als de foto's waren verschenen, hoorde je de mondharmonicasolo
uit *Under Cover.*

Tioe tu tu tioe.

Verder was hij nog niet. Nog lang niet klaar dus.

www.nooitvangehoord.nl.

'Nooit Van Gehoord'. Stomme naam eigenlijk, voor een band.
Had hij altijd al gevonden. Hij moest maar eens wat nieuws verzin-
nen. Iets als 'Ongehoord', dat was al beter. Of 'Waffel'. Waarom
wist hij niet, maar het klonk gewoon lekker.

Paul kon zijn kop er niet bij houden, hij dwaalde voortdurend af
naar eergisteren. De rommel in zijn hoofd was nog lang niet opge-
veegd. Dus maar weer eens kijken of er nog mail was.

Die was er. Van Kim.

Had hij zijn e-mailadres gegeven? Kon hij zich niet herinneren.
Maar ja, dat zei niet alles. Het was een warboel in zijn hoofd.

Paul klikte twee keer.

Dag zanger,
Ik ben een tuinliefhebber, zoals je hebt gemerkt.
Nou, tuinliefhebber, dacht Paul.
Ik wil je er nog een laten zien.
Wat vind je van vanavond?
Je mag me ook SMS'en. Ik heb mijn nummer in je kontzak gestopt.
Verrek! Had hij niks van gemerkt. De broek zat in de was.
Kim
Die meid fietste overal doorheen. Hij moest muziek maken, er lagen nog twee nummers die af moesten, aan de site moest worden gesleuteld. Maar in zijn kop bonkte het: Kim! Kim!
SMS'en zou niet gaan. Paul had geen mobiel. Hij had een mondharmonica, dat vond hij voldoende.
Dan maar terugmailen. Niet te gretig, dat leek hem niet verstandig, hoewel hij geen idee had waarom niet. Ook niet te ongeïnteresseerd, dan zou ze misschien afhaken.
Dag tuinvrouw,
Dat kon wel, vond Paul.
Ik zou best nog een tuintje met je willen omspitten.
Nee, dat ging te ver. Te dubbelzinnig. Weg ermee.
...nog eens een boompje met je willen planten.
Nog veel erger. Wat zou ze wel denken? Paul kreeg er nu lol in.
Ik zou je willen snoeien.
Mooi!
Mag ik in je klimmen?
Nog beter.
Samen schoffelen?
Yes!
Je besproeien?
Getver.
Pauls mailtje luidde dus als volgt:
Dag Kim,
Ik moet vanavond repeteren.
Sorry.
Paul

Tien minuten later was er weer mail.

Kim.

Dag tuinkabouter (hoewel, kabouter, ik vond je vrij lang en wel erg mager voor een kabouter en die rommelige vlaskop en die bruine ogen, die... weet ik veel),

Als jij gaat repeteren, doe ik het ook. Worden we alletwee beter. Dat belooft wat!

Na de repetitie dus? Ik stel voor om tien uur. Achter de Nieuwe Kerk? Schitterende tuin daar. Mooie struiken. Zacht gras.

Kim

Verdorie, dat ging wel erg hard. Zei zijn ene gevoel. Zijn andere wilde het liefst al om acht uur naar de Nieuwe Kerk. Met pijn in zijn hart mailde Paul terug dat het moeilijk zou worden. Er moest ook nog het een en ander worden besproken met de band.

Het antwoord kwam snel.

Paul,

Haast je niet. Doe wat je moet doen. Het geeft niet als je niet kunt.

Ik vind het niet erg om daar een poosje te staan.

Kim

Het zat Paul niet helemaal lekker. Hij wilde Kim niet voor Jan Joker laten komen. Hij zou zich klote voelen als hij wist dat ze daar op hem stond te wachten. IK WIL NAAR DE NIEUWE KERK, LIEFST NU DIRECT! Maar hij had een afspraak met de boys. Een heel belangrijke afspraak.

Hij zou wel zien.

En hij deed wat hij altijd deed als hij het even niet wist. Of zich klote voelde. Of gewoon als hij er zin in had. Een paar keer per dag dus. Hij pakte zijn mondharmonica. Het kleine ding hing aan een koordje om zijn hals. Altijd. Zijn zwarte bluesharp in G. Lekker laag raspend geluid. Ruig, onvast, wild. Zijn bluesharp was een kledingstuk. Nee, een lichaamsdeel. Hij zat aan hem vast. Je zou hem moeten amputeren om hem los te krijgen. Het was een beetje ziekelijk, wist Paul, een verslaving. Maar wat gaf het. Hij rookte niet, slikte niet. Hij had zijn bluesharp. En de bluesharp had hem.

14

Tioe tu tu tioe.
Zuigen, twee keer blazen, zuigen.
Tioe tu tu tioe.
Hij zou wel zien, vanavond.

'Schat, heb je je huiswerk af?'
Paul zag dat zijn moeder een beetje verbrand was. Waarschijnlijk
te lang op het terras van de golfclub gezeten, bedacht hij.
'Zo'n beetje. Wat eten we?'
'Biefstuk met champignons. Lekker! Je mag de champignons aan
mij geven.'
Dat sprak vanzelf. Anders gingen ze de groene bak in. Paul vond
champignons onsmakelijke stukjes rubber.
'Eet papa mee?'
'Nee, die heeft een bespreking. Morgen is hij weer thuis.'
Morgen. Het leek of zijn vader altijd pas morgen weer thuis was.
'Nee, hij heeft een bespreking.' 'Nee, hij is naar een congres.'
'Nee, een workshop.' 'Hij geeft college.' Paul kon het best goed
met zijn vader vinden, maar misschien kwam dat doordat hij hem
zo weinig zag.
'Waar gaat die bespreking dan over?'
'Even kijken. Hier staat het. Het gaat over onderzoek naar ver-
schuivende interne standaarden die mensen hanteren bij de be-
oordeling van hun situatie. Begrijp je?'
'Nee.'
'Ik ook niet,' zei Pauls moeder, terwijl ze op de champignons in-
hakte.

Om kwart voor acht was iedereen aanwezig. De oefenruimte was
een kille kelder onder een viaduct. Willem kauwde op een lolly,
Beertje zat te roken. Flip liep naar de deur, deed hem open, keek
even om de hoek en deed de deur weer dicht.
'Is er wat?' vroeg Beertje.
'Ik dacht dat ik wat hoorde,' zei Flip.
'Welk nummer gaan we doen?' vroeg Willem.

15

'Ben ik nou gek, of vroeg je echt welk nummer we gaan doen?'
Paul was opgestaan. 'Vind je niet dat we tenminste een paar woorden mogen besteden aan die ellende van zaterdag? Ons eerste optreden, waar we zo lang voor hadden gerepeteerd, idioot! Ik hoorde dat er een producer van een platenmaatschappij in de zaal zat! Die vent heeft een lamp op zijn kop gekregen! Alles verknold, verknald, verziekt! Shit! En jij vraagt welk nummer we gaan doen? Ben je wel goed?'
'Wat wou je er dan over zeggen?' vroeg Willem. 'Het is gebeurd, het is klote, maar we kunnen het niet meer terugdraaien.'
'Ik vond de eerste twee nummers best goed gaan,' zei Beertje.
'Dat is ook wel een goeie,' zei Paul, die nu razend was. 'Man, dat waren de enige nummers die we gespeeld hebben! Wat is dat nou weer voor gezeik! Als je grootmoeder van het balkon dondert, dan zeg jij: "Gelukkig gaat het goed met haar kat!" Als je vader zijn nieuwe BMW total-loss rijdt, dan zeg jij: "Gelukkig doen de ruitenwissers het nog!"'
'Als je vriendin er met een ander vandoor gaat, zeg jij: "Gelukkig heb ik haar foto nog,"' zei Flip, die ergens op kauwde.
Paul draaide zich om en liep naar Flip. 'En jij moet helemaal even je muil houden! Die puinzooi kwam door jou!' Hij wilde nog honderd dingen roepen, maar kon de woorden niet vinden. Hij herkende zichzelf niet. Nooit werd hij zo kwaad. Nooit raakte hij de controle echt kwijt. Hij hijgde, liep naar een stoel en liet zich vallen.
'Rustig nou, met schelden komen we niet verder,' zei Willem.
Dat snapte Paul ook wel, maar het overkwam hem, het ging vanzelf. Hij kon wel janken. Erger nog, hij jankte. Dat ging ook vanzelf. Shit!
Het duurde twee minuten voor iemand bewoog. Het was Willem. Hij liep naar Paul en gaf hem een por in zijn schouder. 'Kom op, joh. Hier, een cola. Laten we het zien als een incidentje aan het begin van een imposante carrière. Goed voor de publiciteit.'
Paul nam een paar slokken en snoot zijn neus. Het ging al wat beter. Er was te veel gebeurd, de laatste paar dagen. Veel te veel. Hij stond langzaam op.

'Sorry. Ik had me er zoveel van voorgesteld, en jullie ook. Sorry.'
'Laat maar zitten,' zei Beertje. 'We weten nu hoe het niet moet. De volgende keer mag Flip drummen met handboeien om.'
'Dat is niet genoeg,' zei Willem. 'Zijn voeten moeten vastgetimmerd.'
'Een kap over zijn kop,' zei Beertje.
'Flip?' vroeg Paul.
'Wat is er, goddelijke mondharmonicaspeler?'
'Heb jij niet wat uit te leggen?'
'Ik kan niks uitleggen. Ik kan alleen drummen.'
'Ja, drummen kun je. Maar we willen toch wel even van je horen wat er nou aan de hand was. Waarom je opeens begon te smijten.'
'Ik weet het niet meer.' Flip stak een paars dingetje in zijn mond en draaide een sjekkie.
'Ik ga niet optreden met iemand die rare dingen doet en dat later niet meer weet.'
'Ik bedoel, ik weet het niet meer precies,' zei Flip. 'Ik werd aangevallen. Van drie kanten. Ik moest wel van me afslaan.'
'Je bent gek. Je werd helemaal niet aangevallen,' zei Paul.
'Wel.'
'Door wie dan?'
'Wespen. Dikke wespen. Tien of zo. Ik heb ze later niet meer gezien, nou je het zegt.'
Paul keek Willem aan, toen Beertje. Tenslotte ook Flip.
'Dit gaat niet goed, Flip.'
'Wat gaat niet goed, goddelijke zanger?'
'Jij.'
'Ik? Ik ga fantastisch! Ik drum en zweef en leef! Wat wil je nog meer?'
'Misschien moet je wat minder snoepjes eten.'
'Doktersvoorschrift. Grapje.'
'Ik bedoel dat ik niet met een drummer wil spelen waar ik niet van op aan kan,' zei Paul.
'Daar ben ik het mee eens,' zei Beertje.
'Ik ook,' zei Willem.

'Mm,' mompelde Flip.

Paul ging weer zitten. 'Flip, we willen allemaal beroemd worden. Of nee, we willen mooie muziek maken, daar gaat het toch om. Met elkaar. Maar als jij rare dingen blijft uithalen, houdt het op. Dan moet je maar voor jezelf beginnen. In dat geval heb ik liever een shitdrummer die tenminste normaal doet. Oké?'

'Honderd procent. Ik doe normaal. Sorry, boys, ik word een geniale drummer die tenminste normaal doet. En sorry van zaterdag. Shitwespen.'

'Laten we wat gaan doen.' Beertje pakte zijn bas en draaide aan de knoppen van zijn versterker.

'Goed plan,' zei Paul. De bluesharp schreeuwde om aandacht. Hij blies in de microfoon om te horen of die aanstond.

'*Under Cover?*' vroeg Willem.

Het ging beter dan ooit.

Mooie roffel van Flip. Prachtige intro van Willem. En Pauls stem klonk anders. Losser, zachter, maar krachtiger. Niet vast, maar heel direct.

I'm not the one you see.

De bluesharp ging met Paul op de loop.

Tioe tu tu tioe. Zuigen, twee keer blazen, zuigen.

Tioe tu tu tioe.

Het nummer duurde vier minuten en elke seconde was raak.

'Pff...' zei Willem, na de laatste klap van Flip.

'Dit is lekkerder dan... dan...' Verder kwam Beertje niet.

'Neuken,' zei Flip.

Daarna was er een kwartier pauze. Ze hadden allemaal alles gegeven, iedereen besefte dat ze nooit meer iets mooiers zouden kunnen maken. Dit was de top. Daar moet je even van bijkomen. Ze wisten nu hoe het moest. Hoe het kon zijn. Hoe het kon worden.

'En dat, terwijl er in het begin al een snaar is geknapt,' zei Willem.

'Gelukkig had ik er vijf die het wél deden. Het ging zo goed dat ik niet wilde stoppen.'

'En als jij onder de trein ligt, zeg je: "Gelukkig heb ik nóg een been,"' zei Flip, die de draad even kwijt was.

Ze speelden nog drie nummers en ook die gingen goed. Daarna was het tijd voor *De Weg*, een nummer dat Paul had geschreven, maar nog helemaal moest worden uitgewerkt. De solo, de slaggitaar, niets stond nog vast.

Maar het was tien uur.

Paul wist het voor hij op zijn horloge keek. Hij zuchtte, pakte zijn bluesharp en blies veel te hard zijn riedel.

Tioe tu tu tioe.

Sorry, Kim. Dit gaat voor.

De Weg klonk lekker, alleen moesten ze Beertje tot de orde roepen. Die nam als vanouds het voortouw, terwijl hij alleen was ingehuurd om de boel een beetje te ondersteunen. Dan had hij maar geen basgitaar moeten kiezen.

Halfelf.

'Ik moet weg,' zei Paul. 'Tot vrijdag.'

'Wat nou? We zijn net begonnen!' Willem sloeg een prachtig akkoord aan.

'C mineur?' vroeg Beertje.

'Cis mineur,' zei Willem.

'Sorry. Misschien kunnen jullie nog wat gaan klooien met het refrein. Dat klopt van geen kant. Ik moet weg. See you.'

Paul rende naar buiten, sprong op zijn fiets en begon als een bezetene te trappen.

3

Niemand is zo gek om drie kwartier achter een kerk op iemand te staan wachten, bedacht Paul, toen hij door het Noorderplantsoen scheurde.

Maar daar vergiste hij zich in.

Kim straalde. Ze had een glanzend kort leren jasje aan en stak haar armen omhoog. Ze was prachtig.

'Dag Paul. Ik wist dat je zou komen. Ik zag het aan je mail. Zo kort, zo terughoudend, bijna afwijzend. Dat doe je alleen als je juist ontzettend graag wilt, maar dat niet durft te zeggen.'

Daar moest Paul even over nadenken. De pauze kwam hem goed uit. Hij hijgde als zijn opa vroeger, en die was niet oud geworden.

'Stond je al lang te wachten?' Een dommere vraag had iemand waarschijnlijk nog nooit gesteld, besefte Paul.

'Een poosje. Maar het is hier prachtig. Kijk daar, een rododendron. En achter die struik staat een heel oud stenen tweepersoonsbankje. Er zijn kuiltjes ingesleten van misschien wel honderdduizend billen die daar hebben zitten zitten.'

Geschiedenis was een favoriet vak van Paul, maar zo had hij nog nooit tegen bankjes aangekeken.

'Kus,' zei Kim. Ze liep naar hem toe en sloeg haar armen om hem heen. Ze zoende niet hard, integendeel. Het was bijna niks. Ze deed het zo voorzichtig, zo zachtjes, dat je bijna niets voelde. En daardoor juist wel. Het nietskusje knalde erin. Ze speelde met haar lippen. En als Paul het niet meer hield en zijn mond naar voren duwde, trok ze haar gezicht een beetje terug. Dan keek ze hem aan en glimlachte. En aaide zijn wang. Paul voelde dat er onrust in zijn lijf ontstond. Hij had er geen vat op. Kim wel.

Na een poosje kwam de echte zoen. Vol, diep en lief. Warm. Paul had zich nog nooit zo samen gevoeld. Alles klopte. Alles paste precies. Elk hoekje werd gevuld, er was geen plekje dat niet mee-deed. Alsof je zoende met je hele lichaam.

Ze zaten op het uitgesleten stenen bankje. Comfortabel is het niet als je naast elkaar zit, maar eigenlijk tegenover elkaar wilt zitten. Dan ga je draaien met je lijf en kom je in hele rare houdingen te-recht. Na een minuut of tien krijg je kramp. Bovendien kun je op een tweepersoonsbankje alleen maar zitten. Kortom, het was heel begrijpelijk dat Kim na een poosje Paul achteroverduwde en over hem heen dook. Het gras was droog en zacht.

'Sorry,' fluisterde Kim. 'Het schoot in mijn rug.'

'Bij mij in mijn been.'

'Mijn nek.'

'Borst.'

'Buik.'

'A...'

'Mm...'

Daarna was het stil.

Bijna stil.

Kim lag in Pauls arm. Paul keek naar de wolken, Kim naar zijn neus.

'Je hebt een mooie neus,' zei ze. 'Klassiek, trots, recht. Aan de lange kant. Goeie architectuur.'

'Gaan we schelden? Ik heb bij jou dingen aangetroffen die niet trots, klassiek en recht zijn. Eerder zacht en rond. Ook wel stukjes vakwerk, trouwens.'

'Ik heb dorst,' zei Kim. 'Zullen we wat gaan drinken?'

'ZAPATA is om de hoek. Laten we gaan. Ik heb het hier wel gezien.'

'Absoluut. Het duurde me veel te lang.'

'Ik dacht dat er geen einde aan kwam.'

'Vreselijk was het.'

'Gruwelijk.'

'Kus.'

Vijf minuten later zaten ze, een beetje verfomfaaid, aan een tafeltje in ZAPATA. Het was er druk en warm.

'Wat heb jij nou aan?' vroeg Kim.

'Hoezo?'

'Dat T-shirt.'

'Oh, dat.'

'I *Love Hangbuikzwijnen*, waar slaat dat op?'

'Lijkt me duidelijk.'

'Paul?'

'Ja?'

'Waar woon je eigenlijk? Ik weet niks van je.'

'Ik ook niet van jou. Ik woon in een oud huis in Westwolde, net buiten de stad.'

'Op welke school zit je?'

'Werkmancollege. En jij?'

'Op het Belcampo. Daarvoor op het Heymanscollege.'

'Was het daar niet leuk?'

'Nee. En dat heb ik ze gezegd. Toen kon ik gaan.'

'Je bent eraf getrapt,' zei Paul.

'Ook van het Heymans, ja.'

'Wat bedoel je?'

'En van het Vossius in Amsterdam. Daar kon ik ook niet tegen. Ik heb wat tegen mensen die de baas spelen, vandaar. Ik heb de krant nog gehaald.'

'De krant? Welke krant? Hoezo?'

'*Het Parool*. Ik had de auto van de rector gestart en tegen een boom geparkeerd. De eikel.'

'Ben je opgepakt?'

'Een uur. Toen had mijn vader me weer vrij. Hij is advocaat.'

'Hoe heet je eigenlijk?'

'Van Zaayen. Kim van Zaayen. Ik woon in Schelfhorst. Sinds een jaar.'

'Boerderij?'

'Jebsteyn.'

Jebsteyn? Dat was een oude borg met een enorm landgoed. Bossen, vennetjes, een boomgaard. Paul was er vroeger wel eens geweest om te zwemmen, bramen te plukken en peren te jatten.

'Mooie plek,' zei Paul. 'Wel een eind weg. Zeker tien kilometer. Hoe ben je hier?'

'Scooter.'

'Je bent helemaal geen zestien.'

'Nee? Weet je het zeker?'

'Hoe oud ben je dan?'

'Oud genoeg. Kus.'

Paul boog naar voren alsof Kim op een knop had gedrukt. Het was een vreemde gewaarwording. Of het een prettige was, wist hij eigenlijk niet.

'Hoe heet jij trouwens?' vroeg ze, na een nietskus van twee minuten.

'Paul Dupont.'

'Groningse voorouders, zo te horen.'

Het was uitgestorven in Westwolde. Zelfs het dorpscafé was dicht. Paul opende uiterst behoedzaam de achterdeur van zijn huis. Dat ging goed. Hij had op dit moment geen enkele behoefte aan een confrontatie met zijn moeder. Ze lag ongetwijfeld in bed, met een of ander goedje op haar gezicht dat rimpels moest tegengaan. Vaak lag ze op dit uur nog te kijken naar een nachtfilm. Geen komische, want ze mocht niet lachen, stond er in de gebruiksaanwijzing van het spul op haar hoofd.

Heel voorzichtig duwde Paul de deur dicht. Omdat het een antieke paneeldeur van honderdvijftig jaar oud was, gaf hij een piep. Een oorverdovende piep.

Paul bleef staan en luisterde.

Niets.

Als je bij het oplopen van de trap helemaal aan de muurkant bleef, kraakte hij nauwelijks. Alleen de vierde tree moest je overslaan, die hield zich niet aan de regels. Dus stapte Paul van de derde naar de vijfde tree.

Die hield zich ook niet aan de regels.

Weer hield Paul stil om te luisteren. Hij hoorde zacht gepraat en vioolmuziek. Het kwam uit de richting van zijn moeders slaapkamer. Een huilfilm, wist Paul. Er gebeurde verder niets.

Binnen een halve minuut had hij zonder problemen zijn kamer bereikt. Hij sloot de deur en dook achter zijn pc. Toch even kijken of er mail was. Je kon niet weten. Er was zoveel gebeurd vanavond. Vooral met Kim. Het was gezellig geweest. Het was lekker geweest, erg lekker. En ze hadden goed gepraat. Paul was normaal niet zo'n prater, tenminste niet met mensen die hij nog maar kort kende. En wat kende hij Kim nou helemaal?

Ze kon goed luisteren. Ze stelde de goede vragen, zodat hij over zichzelf begon te praten. Het verbaasde hem. Hij had dingen verteld die hij niet eens aan zijn beste vrienden kwijt durfde. Paul had het gevoel alsof hij Kim al heel lang kende. Of in ieder geval intens kende.

Andersom was het nog wonderlijker. Het leek of zij hem nog langer kende dan hij haar. Soms hoefde hij nauwelijks iets uit te leggen en ze begreep hem. Of hij begon iets te vertellen en ze onderbrak hem om het verhaal af te maken. Het klopte steeds. Wonderlijk.

Een paar keer had Paul het gevoel gehad dat ze door hem heen kon kijken. 'En Lisa, zie je die nog wel eens?' had ze gevraagd. Hij kon zich absoluut niet herinneren dat hij het met Kim over Lisa had gehad. Bovendien was Lisa verleden tijd. Waarom zou hij over haar beginnen? Maar och, hij vergat wel vaker iets.

Ja, het was heerlijk om zo dicht bij iemand te zijn. Bij iemand die jou zo goed kende. Het was vertrouwd, intiem. Oké, soms ook wonderlijk. Een tikje vreemd misschien zelfs. Onzin. Het was gewoon heerlijk.

Er was geen mail.

Paul deed de pc en zijn kleren uit, waste zijn handen en ging naar bed.

Zijn tanden poetste hij niet. Hij proefde nog steeds Kims mond en dat wilde hij graag zo houden.

Paul deed het licht uit.

Slapen lukte niet. Alles begon in zijn hoofd door elkaar te lopen.

Heerlijk.

Wonderlijk.

Tikje vreemd.

De meeste straatlantaarns waren allang uit. Er waren ook bijna geen ramen meer verlicht. Het regende zachtjes.
Er schuilde iemand onder de boom aan de overkant.

4

'Goedemorgen, schat,' zei Pauls moeder. Ze haalde een verbrande boterham uit de broodrooster en begon die boven de gootsteen met een mesje af te schrapen. 'Heb je honger? Zal wel. Hier, een lekker toostje. Kaas? Salami?'

Paul had geen honger, wel slaap. Voor zijn gevoel was hij net weggezeild toen de wekker ging.

'Ik neem wel yoghurt.'

'Eet nou eens goed, schat. Je wordt steeds magerder.'

Alleen in vergelijking tot jou, dacht Paul. Zijn moeder voerde een vergeefse strijd tegen zoete tussendoortjes, vette voorafjes en ander lekkers.

'En wat heb je nou weer aangetrokken! Daar kun je toch niet mee naar school! Waarom doe je niet eens een overhemd of een polo aan? Die ik je voor je verjaardag heb gegeven of zo.'

'Dit zit gewoon lekker.' Paul had voor de gelegenheid een T-shirt gekozen met een voorzichtige tekst. Hij wilde niet uit de klas worden gestuurd. ZIE OMMEZIJDE stond er op zijn borst. En op zijn rug natuurlijk hetzelfde.

'En altijd die stomme mondharmonica om je hals.'

Zo ging het vaak. Paul had geen zin meer om er ruzie over te maken.

'Brengt geluk.'

'Hoezo geluk? Je had laatst een vijf voor Frans.'

'Zie je wel? Anders was het een drie geweest.'

Het was, met andere woorden, een redelijk gezellig en ontspannen ontbijt.

Paul rende naar boven, pakte zijn tas, liep weer naar beneden, stampte op de vijfde tree – niks gekraak –, gaf zijn moeder een snelle passeerzoen op haar wang en deed de achterdeur open.

'Dag mam. Ik ga. Veel plezier met golfen.'
'Ben je gek. Ik heb wel wat beters te doen vandaag. Ik heb hele-
maal geen tijd om te golfen.'
'Oh. Mooi zo.'
'Ik ben tussen de middag bij Wendelien van Ooyen voor een work-
out. Trainen, weet je wel. Wil je zelf een boterham smeren? Dag
schat. Rij voorzichtig.'
Het was nog vroeg, maar dat kon de zon niets schelen. Die had de
plassen van de afgelopen nacht vrijwel weggewerkt.
Paul was moe en opgewekt tegelijk. Hij was niet iemand die dan
ging fluiten. Hij had zijn mondharmonica. Met één hand kon je
ook hard fietsen.
Tioe tu tu tioe.
Esserweg. Helpersingel.
Tioe tu tu tioe.
Meeuwederweg.
En toen kwam het langzaam opzetten. Onweerstaanbaar, onver-
mijdelijk.
Een tekst. Een paar flarden nog, niet meer dan een paar zinnen,
maar een begin. Het begin van een nieuwe song. De mooiste die
hij ooit zou schrijven.
Over Kim.
Voor Kim.
Eén been op de grond
Ik wankel even
Je ogen, je mond
Ik wankel
Maar vallen kan ik niet
Zoiets.
Hij zou het een paar dagen laten sudderen en het dan verder uit-
werken. Dit werd de top.
Paul pakte zijn bluesharp en dacht even na.
Tu tu ta tioe. Klonk goed. Jammer dat hij nu niet een paar uur kon
improviseren.
Turfsingel, Nieuwe Sint-Janstraat, hij kon zo doorfietsen. Alle ver-

keerslichten waren groen, behalve de laatste drie, maar hij had dan ook haast. Eerste uur Engels met Van Dam en de vorige week was hij ook al te laat geweest.

'Ik wankel,' zong Paul zachtjes. Daar zat iets in, want in zijn haast raakte hij met zijn voorwiel de stoeprand voor de ingang van het Werkmancollege.

'Maar vallen kan ik niet,' ging hij verder, maar dat klopte niet. Hij knalde voorover.

'U heeft nieuwe post,' stond er op het scherm.

Paul had zijn computer aangezet en was in slaap gevallen voor het ding was opgestart. Op school was het ook een paar keer misgegaan. Vooral bij natuurkunde was hij voortdurend weggevallen. Het enige dat hem was bijgebleven, was het gelach in zijn klas toen hij een vraag moest beantwoorden. Volgens hem had mevrouw Stikvoort gevraagd naar Kims haarkleur en had hij naar waarheid 'blond' gezegd.

Mail? Kim?

Klik. Klik.

Jupiter Productions

Wie?

Jupiter Productions

Geen Kim.

Paul klikte en de brief verscheen op het scherm. Hij wreef in zijn ogen en begon te lezen.

John van Hulst, producer
Jupiter Productions
Amsterdam

Beste Paul Dupont,

Om te beginnen een geruststellende mededeling: de spotlight die tijdens jullie optreden naar beneden kwam, heb ik kunnen afweren met mijn arm. Meer dan drie hechtingen heb ik er niet aan overgehouden. De ontsteking is bijna over. Ik heb de zaaleigenaar gevraagd mijn kosten te vergoeden.

Ik heb nog nooit zo'n wild concert meegemaakt. Zoals jullie al na twee nummers het publiek op de banken kregen! Ik loop al lang mee, maar zo'n snelle enthousiaste reactie op een optreden, nee. Nooit vertoond. Wat een dolle avond. De hele zaal platgespeeld.

Even serieus nu.

Voordat jullie drummer gek werd, speelden jullie 'Under Cover'. Hoewel er nog van alles niet aan deugt, klonk het niet onaardig. Het is zelfs niet onmogelijk dat er, na wat schaven en repareren, een acceptabel nummer van te maken is.

Wij, van Jupiter Productions, zijn bereid enige tijd en energie in jullie te steken. De ervaring leert dat die inzet in de meeste gevallen tot niets leidt, dus maak je niet te veel illusies. Maar in een enkel geval, en ik benadruk dat het om uitzonderingen gaat, kan zo'n samenwerking de release van een cd tot gevolg hebben. Of het daarvan ooit zal komen, hangt van veel dingen af: of jullie goed kunnen spelen, of jullie je willen neerleggen bij onze muzikale eisen, van jullie 'looks' en uitstraling, van jullie bereidheid op te treden en nog veel meer.

Mijn voorstel is om een gesprek met jullie te hebben op zaterdag a.s. om halfdrie in Huis de Beurs.

Mail even terug dat jullie aanwezig zullen zijn.

Met een groet,

John van Hulst,

producer

PS: Die geschifte drummer hoeft niet mee te komen.

Paul las de brief nog een keer. En nog een keer. Hij had zijn bluesharp vast en trilde een beetje.

Hoe was het mogelijk! Zo'n totaal verziekt optreden en dan dit! Van John van Hulst had Paul nog nooit gehoord, maar dat zei niets. Hij kwam pas kijken. Jupiter Productions, klonk goed. Een cd! Ze gingen een cd maken! Dat stond voor Paul als een paal boven water.

Direct terugmailen!

Nee! Dat moest je nooit doen, had hij wel eens gehoord. Niet te snel toehappen, niet te gretig lijken, anders nemen ze een loopje met je. Nogal een arrogante vent trouwens, die Van Hulst. 'Mail even terug dat jullie aanwezig zullen zijn', wat denkt hij wel. Natuurlijk zullen we er zijn, maar dat kan hij toch niet weten? Uiteraard weet hij dat, die man loopt al langer mee. Wat moet ik terugschrijven? In gedachten liep Paul de trap af en dook de keuken in. Even pauze. Eetpauze. Afkoelen. Hij deed de koelkast open en pakte een aangebroken pot appelmoes. Deksel eraf, lepel erin. Er zaten groene vlokken op de appelmoes en het spul rook naar gekookte bloemkool. Weg ermee. Een slok melk dan. Die smaakte naar karnemelk, terwijl er toch echt melk op stond. Uiteindelijk nam hij een homp ossenworst mee naar boven, nadat hij gecontroleerd had of het stuk vlees niet uit zichzelf bewoog.

Paul keek een kwartier naar zijn scherm en mailde terug. Heel koel en zakelijk wilde hij het houden.

Geachte meneer van Hulst,
Ik denk dat we het wel redden, zaterdag.
Het beste met uw ontsteking.
Paul Dupont

PS: De drummer is inderdaad een mafketel, maar wel ónze mafketel. Ik denk dat hij meekomt.

Zo. Straks de maten bellen. Zou er nog nieuwe mail zijn? Er was nieuwe mail. Kim. Paul was al opgewonden, maar nu kwam er ook nog een warm hoofd bij. Hij greep zijn bluesharp. Klik.

Lieve Paul,
Ik moet even iets aan je kwijt.
Eigenlijk ben ik hartstikke pissig!

Dat je me laatst zo lang liet wachten bij de Nieuwe Kerk!
Fuck!
Dat is zo verschrikkelijk shit, man!
Nou ja, het is alweer gezakt, zo bedoel ik het niet, hoor, jij bent natuurlijk een grote lieverd. Ik weet dat jij het niet kon helpen, ik weet zeker dat je ontzettend je best hebt gedaan om op tijd te zijn. Die vriendjes van je, daar moeten we toch eens wat aan doen. Die mogen toch niet bepalen wat jij het liefste doet?
Ach, laat ook maar.
Lieverd, ik wil je zien.
Vrijdagavond? Acht uur, voor Zapata?
Afgesproken.
Ik weet nóg een prachtige tuin.
Ik verheug me er nu al op.
Kus,
Kim

Paul kneep in zijn mondharmonica en was even de weg kwijt. Natuurlijk, hij wilde haar ook zien. Liefst ergens in een zachte tuin. Maar wat bedoelde ze nou eigenlijk? Paul las de brief nog eens. Het leek helder, ze was boos geweest en dat was nu over. En ze wilde hem graag zien. Helder. Maar toch: iets klopte er niet. Wat er niet klopte, kon Paul niet zeggen.
Hij ging op zijn bed liggen en deed zijn ogen dicht. Binnen drie minuten was hij met Van Dam van Engels aan het zingen, leek John van Hulst op zijn moeder en stond Kim voor de klas natuurkunde te geven. Hij was niet eens verbaasd dat zijn vader aan het tafeltje voor hem zat. Die zat appelmoes met groene stukjes te eten.

Het regende weer.
Onder de boom aan de overkant stond iemand te schuilen.

5

De man hing onderuitgezakt in de leren fauteuil. Zijn benen rust-
ten over elkaar geslagen op een laag tafeltje. Hij was nogal klein –
of de stoel heel groot – en had cowboylaarzen aan en een spijker-
jasje. Zijn wangen zaten vol vouwen. Van het lachen of van tegen
het licht inkijken. Hij was nogal kaal, maar had haar genoeg. Dat
had hij in een staartje opgebonden. Hij rookte een dun sigaartje.
'Eitje, Kees, ik ken ze toch.' Hij klom uit de fauteuil en liep naar
het raam. 'Ze zijn allemaal hetzelfde. Als je de letters "cd" laat vallen, kun je met ze doen wat je wilt. Vooral met die jonkies. Die willen maar één ding. Meetellen in de grote wereld. Beroemd worden. Het gaat ze niet om het geld. Wat belangrijker is: ze hebben
er niet eens verstand van. Dus laat het maar rustig aan mij over.'
Kees van Oven, directeur van Jupiter Productions, was er niet gerust op. Hij was een lange magere man van een jaar of veertig en
droeg een veel te ruim grijs pak. Dat was mode in zijn kringen.
'Ik weet het niet, John. Als ze echt zo goed zijn als jij zegt, moeten
we slagvaardig te werk gaan. Onze concurrenten zijn ook niet gek.
Vooral Foney Fono is de laatste tijd erg actief hier in de stad. Wie
zegt me dat die niet op dat eh... optreden waren?'
John van Hulst stond voor het raam en keek naar de autootjes,
fietsjes en ander klein spul, acht verdiepingen lager. Hij lachte. Of
keek tegen de zon in.
'Er was niemand van Foney Fono of van een andere platenmaatschappij. Ik ken ze allemaal, Kees, ik loop al twintig jaar mee in
het wereldje. Weet je nog dat ik zo gigantisch scoorde met The Man
in the Fog? Dat was vijftien jaar geleden, man. Met de Ixrees, weet je
nog? Bandje, man, gigantisch. Jammer van Michel en Werner,
maar ja, eigen schuld. En mijn cd Houderoverop, ook platina. Ik heb
trouwens een paar nieuwe songs geschreven en mijn stem is ook

weer helemaal zoals vroeger. Ik heb zin om de studio weer eens in te duiken. Wat vind je?'

Van Oven schonk een Bacardi in, nam een slok, wilde het glas neerzetten, bedacht zich en nam nog een slok. Het glas was leeg.

'Daar hebben we het nog wel eens over, John, het gaat nu om die knullen waarvan jij zegt dat ze goud zijn.'

'Die zanger. Lekkere stem. Speelt ook aardig mondharmonica.'

'En de rest?'

'Matig. Alleen de drummer is fantastisch, maar ramgek. Bedrijfsrisico, volgens mij. Bij mekaar klinkt het goed. En ze hebben een paar ijzersterke eigen nummers. We kunnen overwegen die nummers te gaan doen met de zanger en wat studiomusici, en die anderen eruit te pleuren.'

'Je weet dat ik geen geld meer uitgeef aan zogenaamd gigantische bandjes die de top honderd niet eens halen. Laat staan de popzenders. Ik heb al drie keer een clip laten maken van jouw gigantische groepen en het was drie keer nul. Heeft me een paar miljoen gekost. Ik kan me niet nog eens zo'n mislukking permitteren. Jij ook niet, trouwens. Je krijgt nog één kans, dat weet je.'

'Dit wordt echt goed, man, honderd procent zeker weten.'

Kees van Oven pakte zijn glas en aarzelde even. 'Jij een Bacardi?'

'Hoe kun je dat nou vragen, je weet dat ik niet meer drink. Nou, één dan.'

De directeur van Jupiter Productions schonk twee glazen in. Het volste glas hield hij zelf. 'John?'

'Zeg het maar, directeur.'

'Als we een cd met ze maken, moeten we ze promoten.'

'Zo is het. We gaan er helemaal voor. Gigantisch.' John van Hulst trok aan zijn staartje en liet zich weer in de leren stoel vallen. Even had hij zich onrustig gevoeld, maar dat was nu weggezakt.

'We moeten optredens regelen,' zei Van Oven. 'Ze moeten het land in.'

'Die zanger, in ieder geval.'

'Hoe heet hij eigenlijk?'

'Dupont. Paul Dupont.'

'Die naam hoeven we niet te veranderen, lijkt me. Klinkt niet verkeerd. Hoe ziet hij eruit? Oogt het wat? Beetje kans op gillend en
huilend jong grut?'

John van Hulst, de oude rocker, nam de tijd. Hij leegde zijn glas en
stak een nieuw sigaartje op. 'Lijkt me wel. Lang, mager, maar hij
beweegt goed. Atletisch, zou ik zeggen. Goeie kop wel. Geblon-
deerd plukhaar. Zoiets. En je weet: als de muziek een beetje klinkt,
vreten die kids alles. Dat zag je aan mij, tien jaar geleden, toen ik
met *We Zijn Het Zat* in Hengelo...'

'Ja, John, dat weet ik nog. En toen is Saskia hem gesmeerd en was
je opeens alleen en ben je gestopt met drinken en optreden, ja, dat
verhaal ken ik. Maar wat ben je nou van plan?'

John van Hulst stond op en liep naar het kastje met de flessen. 'Ik
heb zaterdag een afspraak met ze. Dan pak ik ze in.'

Pauls moeder was flink tekeergegaan in de keuken. Ze had gaatjes
geprikt in een kilopak nasi uit de supermarkt en het spul in de
magnetron gelegd. Daarna had ze drie eieren gebakken, een zak
met kroepoek geopend en een potje atjar op tafel gezet.

'Eten, jongens! Rijsttafel! Wat wil jij erbij drinken, Frank? Ik hou
me bij de witte wijn.'

'Biertje, dacht ik zo,' zei Pauls vader.

'En jij, lieverd? Cola?'

'Biertje, dacht ik zo,' zei Paul.

'Goh, jongen. Zou je dat wel doen? Dat smaakt zo bitter. En dan
dat vieze schuim! Nou ja. Vind jij het goed, Frank?'

'Laat hem toch. Een biertje op zijn tijd kan toch geen kwaad?'

'Nee, op zijn tijd niet, nee, maar denk nou eens verder. Als hij hier
biertjes drinkt, dan doet hij het ergens anders ook. En daar heb jij
geen zicht op. Ik las laatst dat de jeugd in de disco wel twee of misschien wel drie biertjes drinkt. Of van die broozers of hoe heten
ze.'

'Breezers,' zei Paul.

'Breezers. Dat kan toch niet? Jij wilt toch niet dat je zoon zich zo
ordinair gedraagt? Zoals die types op tv die op vakantie in Spanje

altijd zo'n flesje in hun hand hebben? En dan maar zingen en zoenen? Zeg nou eens wat, Frank.'
'Maak je niet zo druk, Maartje. Volgens mij loopt het wel los.'
'Dat zeg jij, ja. Dat zeg jij altijd. Maar als Paul straks met zo'n fles over het strand loopt, wat dan? Dan kun je niet zeggen dat ik niet gewaarschuwd heb.'
'Proost, Paul.'
'Proost, pa.'
'Zullen we beginnen, Maartje? Ik heb honger.'
'Nou goed, laat ik er maar over ophouden. Jij een beetje atjar, Paul?'
'Nee, bedankt.'
Pauls vader schoof zijn stoel achteruit en stond op.
'Wat ga je nou weer doen? We zouden gaan eten,' zei zijn echtgenote.
'Sambal. Ik eet al twintig jaar sambal bij mijn nasi.'
'Rijsttafel. Sorry, even niet aan gedacht.'
Na tien minuten had iedereen zijn bord leeg.
'Wie wil er dubbelvla?' vroeg Pauls moeder. Er kwam geen reactie. Ze begon af te ruimen.
De vader van Paul stak een pijp op.
'Zeg knul, hoe gaat het eigenlijk met de muziek? Ik begreep dat het optreden niet zo lekker liep, maar wat zijn jullie verder van plan? En gaan jullie meer eigen nummers schrijven? Ik vond het heel goed klinken, wat je laatst had opgenomen.' Pauls vader zoog aan zijn pijp. Dat maakte een reutelend geluid.
'Had mama dat nog niet verteld? We hebben zaterdag een afspraak met iemand van een platenmaatschappij. Ze willen praten.'
'Sodeballen, zeg! Wat machtig mooi! Waarom heb je daar niets over gezegd, Maartje!'
'Vergeten, denk ik. En ik ben er ook helemaal niet zo blij mee.' Ze schonk zich nog een wit wijntje in. 'Die muziekwereld, ik weet het niet. Paul is nog zo jong. En je hoort toch dat ze daar drugs en zo gebruiken en bier drinken en weet ik veel. Als het nou om mooie piano ging op de muziekschool.'
'Mens, wat klets je nou weer! Dit is toch hartstikke leuk! Ik speelde

vroeger ook gitaar, maar ik kon er geen hout van. We speelden de Stones na. Iedereen droomde ervan ooit een plaat te maken! Optreden! Groupies! Man, dat was het mooiste wat je kon bedenken!'

Pauls vader was opgestaan en deed alsof hij gitaar speelde. Hij keek er heel moeilijk bij, want dat hoorde.

'Ja, groupies, ja, ik snap het. Helemaal niks vind ik het. Paul, wil je echt niet op pianoles? Machteld van hiernaast is pas een jaar bezig en ze speelt nu al stukjes van Mozart. Dat is toch fantastisch?'

'Mama, ik hou niet van Mozart. En ik speel mondharmonica, daar doen ze niet aan op de muziekschool.'

'Mm. Maar als ik merk dat je van die hasjsigaretten rookt, dan is het acuut afgelopen!'

'Mens, laat die jongen toch met rust!' riep Pauls vader.

'Ha, daar gaan we weer. Wie is hier nooit thuis? En op wiens rug komt het dus allemaal terecht? Wie moet er eeuwig en altijd voor zorgen dat het hier geen rotzooitje wordt? Nou? Wie?'

'Oh, krijgen we dat, golfmadam. Gaan we schelden?'

'Zak!'

'Trut!'

'Dag pa en ma, nog veel plezier vanavond. Ik ga naar boven,' zei Paul. Weg was hij.

Er was geen mail.

Flip was al aan het drummen, toen Paul de oefenruimte binnenkwam. Hoewel, drummen. Rammen. Willem en Beertje waren er ook. Ze zaten in een hoek hun gitaar te stemmen.

'Hallo,' zei Paul. 'We moeten overleggen. Flip! Even stoppen alsjeblieft! Flip!'

Flip keek Paul vriendelijk lachend aan en ramde door.

'Flip! Stop!'

Beertje liep naar de drummer en gaf hem een klap op zijn rug. Flip hield op.

'We moeten het hebben over zaterdag.'

'Gewoon toehappen, lijkt me. Dit is bingo. Ik wil niet dat ze gaan twijfelen als we moeilijk gaan doen,' zei Willem.

'Mee eens,' zei Beertje. 'Zo'n kans krijgen we nooit meer. Ik heb het nog even nagevraagd: Jupiter is een grote.'

'Jupiter was een grote, Jupiter gaat naar de klote,' zong Flip.

'Hou je kop, Flip,' zei Paul.

'Dead Body zit bij Jupiter. En De Bende. Manouk. De Mayo's. En nog zo wat,' zei Beertje. 'Ik wil een cd maken. Als ze willen dat ik me verkleed als een bloemkool, dan doe ik dat.'

'En je zou het ook nog wel voor niks willen doen, neem ik aan,' zei Paul.

'Absoluut,' zei Beertje.

'Jongens, denk nou even na. Als we goed genoeg zijn om een cd te maken, komt die er heus wel. We moeten niet meteen op onze knieën gaan liggen. Dat is nou net wat ze willen! Wij hebben hún niet gevraagd! Ze hebben óns gevraagd! Dat betekent dat ze er iets in zien. Dat ze winst ruiken! Ze zien geld in ons. Het is echt niet omdat ze ons zulke lieve jongetjes vinden. En dat betekent weer dat we sterk staan. We moeten dus onderhandelen, vind ik. Juist níét direct toehappen. Als ze ons willen, laten ze ons echt niet zomaar lopen.'

'Klinkt wel goed,' zei Willem. 'Alleen, stel dat je het mis hebt. Dan pissen we naast de pot door ons flinke gedrag.'

'Yeah man. Jupiter, so close. Jupiter, zo ver,' zong Flip.

'Hou je kop,' zei Paul. 'Oké, wat doen we? Mijn voorstel is ze te laten praten. Laat ze maar vertellen wat ze van plan zijn met ons. Hoe het zit met die cd. Wat hun voorwaarden zijn. Hoe het zit met het geld. We zeggen dat we erover moeten nadenken en ze zullen laten weten of we met ze in zee willen.'

'Mm. Ik vind het link. Je doet of we het al gemaakt hebben. Enige bescheidenheid lijkt me toch op zijn plaats,' zei Beertje. 'Wat vind jij, Willem?'

'Ik denk dat Paul gelijk heeft. Laat maar horen waar ze mee komen.'

'Mm. Nou, vooruit,' zei Beertje.

'En jij, Flip?' vroeg Paul.

'I close my eyes and see the sky. Het wordt zaterdag mooi weer.

Alles straalt en alles stroomt. Panta rei. 's Avonds gaat er bier vloeien, ik voel het.'

'Is dat ja?' vroeg Paul.

'Dat is ja, goddelijke slungel.'

'Laten we eindelijk gaan spelen,' zei Willem. 'Oeps, daar gaat een snaar.'

'Mooi, die pak je toch altijd verkeerd,' zei Flip.

'Hou je kop,' zei Paul. 'Zullen we *Mystery* doen?'

'Eerst *Under Cover*, om erin te komen,' zei Beertje.

Flips roffel.

I'm not the one you see.

Don't look.

Just feel me.

De bluesharp.

Tioe tu tu tioe. Zuigen, twee keer blazen en weer zuigen.

Het klonk redelijk, niet geweldig.

'Pfbrrrr,' deed Flip. 'Ik ga naar huis. Wat een pure shit. Wat ben jij voor nummer aan het spelen, Beer? Iets van Frank Sinatra of zo? Wat een bagger. Hebben jullie een moment? Ik moet even braken.'

Flip haalde zijn hand uit zijn zak en schoot met zijn duim drie dingetjes in zijn mond.

'Hou jij je scheur nou eens even dicht, man!' riep Willem. 'Je zit alles hier te verzieken.'

'Jij niet. Ik hoorde je niet eens bij *Under Cover*.'

'Shit, Flip! Als je zo doorgaat, stoppen we ermee. Dat wil zeggen: jij. Werk nou eens een beetje mee! En zaterdag hou je je klep. Bederf het niet voor iedereen,' zei Paul.

'Ik spijt, grote spijt,' zei Flip. 'Ik zal de hele avond spijten. En zaterdag ben ik één grote zwijg. Let maar op.'

Ze speelden nog van alles, maar het was niks. Er zat geen gevoel achter. Of het verkeerde gevoel. Klotegevoel.

Het was halftwaalf toen Paul thuiskwam. Hij was doodmoe. Toch zette hij zijn pc aan. Hij moest weten of er nog e-mail was, hij zou anders geen oog dichtdoen.

Er was een mailtje van de provider over technisch onderhoud. En een van Flip met wartaal over een wereldrecord spijt. Verder niets. Paul kleedde zich uit en dook in bed. Hij deed zijn ogen dicht en probeerde zijn rotgevoel weg te fantaseren.
Dat lukte niet.

De straatlantaarns floepten uit. Er scheurde een late auto door de straat. Het regende zachtjes.
De boom aan de overkant bewoog in de wind.

6

Paul had de mandarijntjes, de dubbelvla en de rabarber vriendelijk maar beslist geweigerd en gevraagd of hij van tafel mocht. En nu was hij natuurlijk veel te vroeg bij ZAPATA. Het was pas kwart voor acht. Hij besloot in het Noorderplantsoen om de hoek naar de eenden te gaan kijken. Hij kwam er zo vaak dat hij ze herkende. En werd herkend, verbeeldde hij zich. Vooral door het machomannetje dat altijd die kleine vrouwtjeseend zat te pikken.

Er liep een bejaard stel langs. Ze keken naar Paul, toen naar elkaar en begonnen ingehouden te lachen. Vrolijk stel, dacht Paul. Oh ja, mijn T-shirt, dat zal het zijn. Hij had voor de feestelijke gelegenheid een feestelijke tekst uitgekozen. DAT WORDT ... VANAVOND! stond op zijn rug.

Paul pakte zijn mondharmonica en speelde een paar minuten. De eenden werden er rustig van. Ze dobberden of zaten stil in het gras. Ideaal publiek, vond Paul.

Twee minuten voor acht. Hij pakte zijn fiets.

Een minuut later was hij bij ZAPATA.

Een kwartier later was hij er nog.

Alleen.

Om vijf voor halfnegen was zijn verlangen naar Kim langzamerhand wat afgenomen. Er kwamen twee gevoelens bij. Irritatie: verdorie, zeg het dan als je niet kunt! En angst: je laat me toch niet vallen? Ik ga weg, dacht hij. Over vijf minuten ga ik weg. Dat dacht hij vijf minuten geleden trouwens ook al.

En daar was ze. Ze zwaaide. Ze straalde. Ze was prachtig.

Paul had nog maar één gevoel over. Dat kwam ongeveer overeen met de tekst op zijn T-shirt.

'Dag, lieve tuinman! Heb ik je lang laten wachten? Kus!'

Paul boog voorover alsof ze een knopje had ingedrukt. 'Nee, viel wel mee. Ik was ook te laat. Kwam er iets tussen?'
'Helemaal niet, lieve grote tuinkabouter. Ik moest gewoon later komen omdat je straf had verdiend. Ik moest je even laten voelen hoe het is om op iemand te wachten. Hoe shit je je dan voelt en hoe dat klotegevoel in je kop door zit te etteren tot je, nou ja, zoiets, snap je? Zo, wat zullen we voor leuks gaan doen? Ik heb er echt zin in. Ik heb zo naar je verlangd. Ik kon er soms niet van slapen, gek hè? Dan ging ik 's avonds de straat op, maar het hielp niks.'
Paul had iets willen zeggen, maar was vergeten wat. Hij had het gevoel of er een bus over hem heen was gereden. Ze zei zoveel. Lieve dingen. En rare dingen. Maar ze bleef glimlachen, ontzettend lief glimlachen. Hij was in de war. Het gevoel dat hij een paar dagen geleden had gehad, kwam terug. Er klopte iets niet.
'Laten we wat gaan wandelen,' zei Kim. 'De Prinsentuin is vlakbij. Er zijn bankjes en mooie rozenstruiken en veel intieme plekjes. Wat is er met je? Je bent zo stil. Geef me een hand.'
Paul was kwaad. Op zichzelf. Zit niet zo te eikelen, man! Doe een beetje normaal! Ze is hartstikke lief! Ze is prachtig! Lekker! Wat wil je nog meer? Hou op met dat stomme denken!
'De Prinsentuin is voor oude dames, volgens mij,' zei Paul. Hij had Kims hand gegrepen. Ze wandelden langs de Turfsingel.
'En voor jonge dames. En voor prinsen. Ik las een keer dat prins Willem IV in die tuin door zijn moeder werd betrapt.'
'Betrapt? Waarop? Of waarmee?'
'Waarzonder. Broek. Met twee hofdames. Hofmeisjes, eigenlijk. Weet je wat zo leuk is? Die tuin is in al die jaren niet veranderd. Dat plekje van Willem is helemaal achterin. Wat vind je?'
'Ik ben dol op geschiedenis. En ze zeggen dat de geschiedenis zich herhaalt.'
'Dat heb ik ook gehoord. Daar mogen we ons niet tegen verzetten.'
'Zo is het. We doen het voor de wetenschap.' Paul kneep in Kims hand en ze kneep terug.
Er waren geen oude dames in de Prinsentuin.

Er was niemand.

Willem IV was niet gek. Het plekje, links achter in de hoek, tegen de oude muur, was afgeschermd door twee heggen en een mooie rozenstruik. En er was gras en het rook er lekker.

Kim pakte de steel van een roos en gaf een ruk.

'Alsjeblieft.'

Paul wilde de bloem aanpakken, maar ze lachte en trok hem terug. Toen stak ze haar arm uit en streelde met de bloem zijn gezicht, zijn hals, zijn borst, zijn buik en stopte pas bij zijn dijen.

Paul lachte ook, maar dan met ingehouden adem. Hij merkte dat zijn mond 'oh' of 'ah' wilde zeggen, maar het lukte hem zich in te houden.

'Zullen we gaan zitten?' vroeg Kim.

Dat leek Paul een goed voorstel. Zijn benen begaven het bijna.

'Prins Paul, doe uw plicht. De geschiedenis roept.'

Paul keek naar de hand van Kim. Ze had de roos op de grond gelegd. Er liep een straaltje bloed langs haar middelvinger.

Het was rustig in ZAPATA.

Er hingen twee studenten aan de bar en een oude man zat aan een tafeltje bij het raam.

En Paul en Kim zaten in een nis achter het biljart.

Ze zeiden niet veel. Het was of ze een beetje buiten adem waren. Vreemd was dat niet. Een uur waren ze in de Prinsentuin geweest, een nogal heftig uur. Ze hadden elkaar alle hoeken van het intieme plekje laten zien en waren pas gestopt toen alles wat om aandacht vroeg, verzorgd en verwend was.

'Waar denk je aan? Vond je het fijn?' vroeg Kim.

Paul lachte. 'Mwah. Gaat wel.'

'Je bent een zak, tuinman. Volgens mij vond je het prachtig.' Kim lachte niet terug.

'Grapje. Sorry, natuurlijk vond ik het fijn.'

'Ik hou niet van die grapjes, Paul. Ik heb je daarstraks alles gegeven wat ik had. Alles. Ik doe dat niet zomaar. Het is geen spelletje, fuck, man, kun je dat niet begrijpen?'

Dit gaat niet goed, dacht Paul. Hoe kun je nou boos worden om zoiets? Misschien was hij toch te bot geweest. Ze was gewoon een gevoelig meisje. Hij wilde haar niet kwetsen.

'Sorry, Kim, ik snap het. Ik wil het niet belachelijk maken.'

'Doe dat dan ook niet. Je weet niet half wat het voor mij betekent.'

'Voor mij betekent het ook veel,' zei Paul.

'Weet ik en daarom ben ik ook zo gek op je. Je begrijpt me. Je bent anders.'

'Anders? Anders dan wie?'

Kim pakte zijn hand en aaide. 'Eerst wil ik een kus,' zei ze.

Paul boog zich naar haar toe. Kim gaf een nietskusje.

'Nou? Wat bedoelde je?' vroeg Paul.

'Je bent anders dan Felix, bijvoorbeeld.'

'Oh.'

'Vorig jaar, in Amsterdam.'

'Ja?'

'Die begreep me dus niet.'

'Oh. Wat begreep hij niet?'

'Niets. Hij begreep er niets van.'

'Mm.'

'Vrijen, dat begreep hij wel. Oh, dat begreep hij heel goed. Maar erna. Wat je dan verder met elkaar wilt. Dat je samen wilt zijn. Dezelfde dingen voelen. Dezelfde dingen denken. Bij elkaar wilt zijn. Dat je anderen er niet tussen laat komen. Eerlijk zijn. Die dingen. Als ik daarover begon, liep hij weg, de klootzak. Jij hebt dat niet, gelukkig. Ik voel dat jij en ik op dezelfde lijn zitten. Daarom ben ik zo gelukkig.'

Paul wist even niet wat hij moest zeggen. Op zo'n Felixverhaal zat hij absoluut niet te wachten. Daar kreeg hij een misselijk gevoel van. En wat Kim verder vertelde, ja, dat begreep hij wel. Hijzelf dacht er ook een beetje zo over. Een beetje. Maar het klonk allemaal zo zwaar. Niet vrolijk, niet als iets leuks wat mag, maar als een plicht of zo.

'Ik zei: daarom ben ik zo gelukkig. Omdat ik weet dat wij op elkaar lijken. Jij zult me niet zomaar laten vallen, na alles wat ik je gegeven heb. Klopt hè, lieve kabouter van me?'

'Eh... nee natuurlijk niet, ik bedoel... ja.'

'Dat wist ik wel.' Kim aaide zijn dij met haar wijsvinger. Af en toe ging die wel erg ver. Dan hield Paul onwillekeurig zijn adem in.

'Paul?'

'Mm?'

'Hou je een beetje van me?'

'Ik ben wel een beetje gek op je, ja.'

'Dat vroeg ik niet. Hou je een beetje van me?'

'Eh... ja... eh...'

'Je vindt het moeilijk om te zeggen, hè? Ik begrijp het. Ik vind het ook niet makkelijk. Maar als je eerlijk bent tegenover jezelf, dan mag je het gewoon niet voor je houden, vind ik. Dan moet je het zeggen. Zeg het maar.'

'Ik... eh...'

'Geeft niet. Het is moeilijk. Ik zal je helpen. Je hoeft alleen maar ja te zeggen. Hou je een beetje van me?'

'Eh... ik ben een beetje gek op je.'

'Nee, stouterd! Je houdt je niet aan de regels. Laat je nou gaan. Geef het gewoon toe. Daar komt hij weer: hou je een beetje van me?'

'Eh... nou vooruit... een beetje.'

'Ik wist het! Zie je dat het best meeviel?' Kims wijsvinger ging behoorlijk tekeer. 'Paul?'

'Ja?'

'Ik ben gelukkig. En jij?'

'Moment, even wat te drinken halen.' Paul stond op en liep naar de bar. Hij had pauze nodig. Hij zat vol. Hij had het gevoel of Kim hem volgepropt had met allemaal lieve en mooie dingen, met zulke hoeveelheden dat al het moois en liefs nu langzamerhand zijn keel had bereikt.

Na een paar minuten was alles wat gezakt. Hij liep terug naar het tafeltje met twee flesjes met lekkers.

'Morgen weer?' vroeg Kim.

'Ik kan niet. Ik ben vanaf twee uur bezig met de band. En 's avonds repeteren we.'

'Weet je dat ik heel mooi kan zingen? Vooral tweede stem,' zei Kim.

'Oh?'

'Hebben jullie geen plaats voor een zangeres?'

'Daar heb ik nog nooit over nagedacht.'

'Kun jij repeteren, zijn we toch bij elkaar. Wat vind je?'

'Ik denk dat we met de band eerst onze nummers moeten uitwerken. Dat kan nog wel even duren.'

'Dus je vindt het geen goed idee.'

'Dat zei ik niet. Ik wil met de band eerst onze nummers uitwerken, voordat we met nieuwe ideeën beginnen.'

'Fuck, man! Ik snap jou niet! Eerst zeg je dat je van me houdt en dan laat je de kans lopen om samen dingen te doen!' Kim was opgestaan, liep een paar meter richting bar, draaide zich om en liep terug. Ze pakte de volle asbak van de tafel en zwaaide de inhoud in Pauls gezicht. Die greep naar zijn ogen en begon hoestend zijn hoofd en zijn kleren af te vegen en te bekloppen.

'Shit! Wat doe je nou? Ben je besodemieterd! Waar slaat dit op?'

Kim stond voor hem, de asbak in haar hand. Ze glimlachte, maar alleen met de linkerkant van haar gezicht. Even ging de asbak omhoog, toen zette ze hem op de tafel. Ze pakte een zakdoekje uit haar zak, ging op haar knieën zitten en begon voorzichtig Pauls wangen schoon te maken.

'Sorry, liever. Sorry, sorry. Sorry dat ik zo kwetsbaar ben. Dat je me zo kunt raken. Dat is zo nieuw voor me. Iemand die zo dicht bij me komt. We zijn zo samen, dat heb ik nooit eerder zo gevoeld. Ik ben zo gelukkig met je. En jij ook met mij, toch? Dat heb je daarstraks toch gezegd?'

Paul was nog niet hersteld van de asregen. Hij krabde op zijn rug. Er zat een peuk onder zijn T-shirt. 'Ik snap dit niet, Kim. Ik ga naar huis.' Paul spuugde wat onduidelijks uit.

'Wacht nou even! Dit heb ik niet zo bedoeld! Ik zei toch sorry? Ga nou lekker met de band repeteren, morgen. Natuurlijk begrijp ik dat jullie er nu niemand bij kunnen hebben. Voel je niet verplicht mij mee te nemen. Ik heb alle tijd. Ik wil je de vrijheid geven. Anders gaat het je benauwen. Ik wil je tegen jezelf beschermen. Denk niet te veel aan me. Maak muziek. Ik red me wel.'

Paul was kwaad, maar dit klonk weer zo redelijk, dat hij bleef zitten. Hij keek Kim aan. Die lachte zo ongelofelijk lief dat hij moest teruglachen.

'Kus.'

Het knopje werkte weer. Na een nietskusje kwam de echte. Die duurde een minuut of twee.

'Die Felix?' vroeg Paul.

'Wat is daarmee?'

'Dat was vorig jaar?'

'Vorig jaar, ja.'

'Die zie je niet meer?'

'Absoluut niet.'

'Echt waar?'

'Dat zeg ik toch, lieverd. Bovendien is hij dood.'

'Huh?'

'Ja. Raar ongeluk. Hij was altijd al verschrikkelijk onvoorzichtig. Echt heel onvoorzichtig.'

7

Paul was pas tegen de ochtend in slaap gevallen.

Normaal droomde hij gewone, dat wil zeggen gekke, maar leuke dromen. Oké, alles liep dan door elkaar heen, maar het was toch voornamelijk vermakelijk. Niets om te onthouden of je druk over te maken. Dat was nu anders.

Een nachtmerrie. Een droom met modder, bloed en vuil. Hij moest wegrennen voor iets, maar het lukte niet. Hij zat vast. Moeras of drijfzand, zoiets. En het iets kwam steeds dichterbij. Hij werd net op tijd wakker.

En hij droomde, als het al een droom was, van de natte straat buiten en van de treurige boom aan de overkant waar iemand onder stond te schuilen, en die iemand herkende hij maar toch ook niet. En hij zag het lachende gezicht van Kim dat steeds groter werd, tot hij alleen nog haar mond zag, haar open mond, ze hapte, de mond werd steeds groter en hij dreigde erin te verdwijnen en toen werd hij weer wakker.

Onder de douche klaarde zijn hoofd wat op. Hij wist het nu zeker. Het klopte niet. Er klopte geen reet van. Kim klopte niet.

Hij kon niet precies zeggen wat er mis was, maar het begon te dagen. Ze deed iets met hem. Iets wat hij erg vervelend vond. Ze kneedde hem. Ze pakte een stuk van zijn leven en deed of het van haar was. Ze duwde en trok. Ze gaf en nam het weer terug. Ze sloeg en zoende tegelijk. Paul kon het nog niet benoemen, maar het had iets met controle te maken. Kim bepaalde alles. Als hij zich goed voelde, dan deed ze iets om het om te draaien. En voelde hij zich klote, dan maakte ze hem weer verschrikkelijk verliefd. Ze zat aan knopjes te draaien. Ze drukte knopjes in en hij reageerde.

En toch: ze gedroeg zich niet echt vreemd. Goed, ze was soms lief en dan weer boos, maar er zat telkens iets in. Hij snapte waarom ze zo deed. En soms was hij ook een beetje bot of onhandig. Ophouden! Niet weer proberen alles te begrijpen! Straks gebeurt er weer hetzelfde! Het klopt niet, weet je nog? Er klopt geen reet van! Ja, maar.

Ze is zo mooi, zo lief, zo lekker, ze aait en doet en zoent, ik wil eigenlijk maar één ding: bij haar zijn.

Nee!

Ze klopt niet. Ze maakt me in de war.

En toen was Paul eruit. Wat er mis was met Kim wist hij nog steeds niet. Wel wat er mis was met hemzelf.

Hij was bang. Hij was bang voor Kim.

Paul zette de kraan uit en droogde zich af. Hij was klaar. Het was duidelijk. Het was afgelopen.

Ze hadden om kwart over twee afgesproken voor de Korenbeurs, nog geen twintig meter van Huis de Beurs.

Willem en Beertje stonden er al, toen Paul aan kwam fietsen.

'Hoi. Flip al gezien?' vroeg Paul.

'Die staat daar een patatje te scoren,' zei Beertje.

Aan de overkant, bij Jan Patat Dan Heb Je Wat, stond Flip frieten omhoog te gooien om ze op te vangen met zijn mond. Dat lukte één of twee keer. De rest lag op de grond.

'Mooi T-shirt,' zei Willem.

'Och, je moet je kleden voor de gelegenheid.'

'Flip! Ga je mee?' riep Beertje.

Flip stak een frietje in een neusgat en stak over. 'Moet je zien.' Hij hield zijn hoofd schuin achterover, gaf een klap op zijn wang en het stuk aardappel schoot weg. Drie meter verder kwam het terecht in een net geopende tas van een vrouw die haar portemonnee aan het zoeken was.

'Laten we gaan,' zei Flip vlug.

Het was druk in Huis De Beurs. Marktkooplui en klanten zaten te zeuren of op te scheppen over hun aan- en verkopen. Er was geen tafeltje vrij.

Hoe herken je een producer?

Paul had geen idee. Hij had er wel eens een gezien, een ouwe lul met een sik. En een met een grijs pak en een kaal hoofd. Zonder oorbel. 'Dupont? Is een van jullie Paul Dupont?' Rechts naast de deur zat een oude hippie met een paardenstaart. Hij stond op. 'Hallo. Ik ben Van Hulst. John van Hulst. Jupiter Productions. Wij hebben een afspraak, volgens mij. Ga zitten. Ik heb met gevaar voor eigen leven een paar stoelen vrijgehouden.'

'Dank je,' zei Flip. Hij ging op de stoel van de producer zitten.

'Paul,' zei Paul en hij stak zijn hand uit. 'En dit is Flip, dat is Beertje en dat is Willem.'

'Zo. Mooi. En willen jullie wat drinken?' Van Hulst knipte met zijn vingers. 'Ober? Een baco met ijs en... doe maar drie pils.'

'Heeft u een goede...'

'Zeg maar je. Zeg maar John.'

'Heb je een goede reis gehad? Waar zit Jupiter eigenlijk?' vroeg Willem.

'Niet in zo'n knollentuin als hier. In Amsterdam natuurlijk.'

'Hoe is het met de hechtingen?' vroeg Paul. Het leek hem verstandig met wat kulpraat het ijs te breken.

'Ja, nog bedankt voor het verpletterende optreden,' zei Van Hulst. 'Maar ter zake. Ik hoorde *Under Cover* en vond het zeker niet onaardig. Ik dacht: ik ga die jongens helpen. Dat nummer heeft hitpotentie. Dus ik naar de directeur. Ik zeg: meneer van Oven, we hebben misschien wat aardigs gevonden. Een leuk bandje. Nou is die Van Oven eigenlijk een grote klootzak. Heeft geen verstand van muziek, alleen van zaken. Zo, zegt hij, hoe oud zijn ze? Nou, vrij jong, zeg ik. Jammer, gaat niet door, we hebben al een paar jonge groepjes, zegt die zak. Maar de zanger is echt klasse, zeg ik, en het nummer ook. Jammer dan, daar geef ik geen geld aan uit, roept hij. Nou, ik heb een uur op hem ingepraat en uiteindelijk wilde hij, voor deze ene keer, een klein bedrag beschikbaar stellen "voor een project waar ik niks in zie, maar omdat ik je al zo lang ken".

En daar zitten we dan. Met een heel mager voorstel, want meer heb ik er niet uit kunnen slepen. Maar bedenk wel dat jullie nu al meer bereikt hebben dan al die andere honderd groepen hier in de stad.'

'Mm. Ik ben blij dat het je gelukt is die Van Oven mee te krijgen,' zei Willem.

'Ik sta helemaal aan jullie kant, maar ik heb natuurlijk wel jullie volledige medewerking nodig om mijn baas van mijn gelijk te overtuigen,' zei Van Hulst.

'Wat bedoel je daar precies mee?' vroeg Paul.

'Dat we *Under Cover* en eventuele andere nummers zo moeten arrangeren en aanpassen dat ze hitkansen hebben. We moeten een groot publiek zien te bereiken.'

'We hebben *Under Cover* uitgevoerd zoals wij dat zelf mooi...'

'Natuurlijk, dat snap ik. We gaan het ook niet echt veranderen, alleen bijschaven. Koortje, blazers, je kent dat wel. Niks bijzonders.'

'Klinkt behoorlijk ingrijpend. Wat bedoel je nog meer met "onze volledige medewerking"?' vroeg Paul.

'Het spreekt vanzelf dat ik geen zakken met dollars kan beloven. Zo'n project kost handenvol geld. Studiohuur, mankracht, publiciteit, ga maar door. En ik vertelde al dat ik maar een klein bedragje heb kunnen lospeuteren.'

'Wat bedoel je precies?' vroeg Beertje.

'Dat jullie er voorlopig niets aan kunnen verdienen. We moeten eerst uit de kosten zijn, voor het zover is. Dat begrijpt je moeder nog wel.'

'Laat mijn moeder er alsjeblieft buiten,' zei Flip. 'Ze is... ze is...'

'Sorry, dat kon ik niet weten,' fluisterde Van Hulst.

'Zwaar verkouden,' zei Flip. 'Wat dacht je, John, laat het budget nog een paar biertjes toe?'

De hals van John van Hulst werd een beetje rood. Hij stak zijn hand op en bestelde drie bier en een baco.

'Zijn er nog meer van dit soort mededelingen?' vroeg Paul.

'Dit is het wel zo'n beetje. Ik hoef jullie niet uit te leggen dat we bij cd-opnames meestal studiomuzikanten gebruiken. Die zijn technisch goed en doen wat we zeggen.'

'Ho! Studiomuzikanten? Wildvreemden die onze muziek gaan spelen?' Paul stond op en keek Van Hulst aan.

'Normale zaak, niks om je druk over te maken. Jij zeker niet, jij zingt gewoon.'

'Als er maar een cd van ons uit komt,' zei Willem. 'Daar gaat het toch om?'

'Man, laat je toch niet weglullen,' zei Paul. 'Ik weet het niet, John. Ik wil er met de anderen over praten. Ik vind het nogal wat. We hebben even tijd nodig.'

'Tijd is er niet, dat heeft Van Oven heel erg duidelijk gemaakt. Er zit nog een klein gaatje in het studioschema, dus het is ja of nee. Ik moet vanavond doorbellen of we ermee doorgaan.' John van Hulst haalde een stapel papieren uit zijn tas. 'Ik heb hier een contractje voor de eerste fase. Lees maar even door. Bij het kruisje kun je tekenen.'

'Als het zó moet, dan is het voor mij nee,' zei Paul.

'Kom nou, Paul,' zei Willem. 'Tot nu toe waren we alleen maar met elkaar aan het klooien. Dit hebben we toch altijd gewild? We hebben niks te verliezen.'

'Vind ik ook,' zei Beertje.

'Ik heb dit voor jullie uit het vuur gesleept, Paul. Ik heb voor jullie gevochten,' zei Van Hulst. 'Het is een unieke kans op de release van een eigen cd. Misschien krijgen jullie die kans nooit weer.'

'Misschien niet,' zei Paul. 'Maar ik ga hier niet voor tekenen. Zeker niet nu.'

'Je bent een stomme dwarsligger, Paultje Dupont! Dat had ik al begrepen toen ik je T-shirt zag. Je gooit je toekomst weg, jongen, als je zo doorgaat.' John van Hulst gaf een klap op zijn papieren en leunde achterover. Hij trok aan zijn staartje en keek demonstratief naar de deur.

Even was het stil. Niemand bewoog. Toen, heel langzaam, stond Flip op. Hij ging op de rand van de tafel zitten, pal tegenover Van Hulst. Hij stak zijn rechterwijsvinger uit en priemde die in de borst van de producer. 'John.'

'Weg met die vinger.'

Flip trok zijn hand terug en gaf Van Hulst een aai over zijn schedel. 'John, vier dingen. Ten eerste... dat ben ik even kwijt. Ten tweede gaan we niet schelden op mijn zanger. Zo'n stem vind jij nooit weer en dat weet je. Ik heb die ouwe shitplaat van jou van honderd jaar geleden wel eens gehoord en haalde toen van ellende nog net de wc. Ten derde heeft Paul gelijk. En ten vierde... die ben ik vergeten. Zo, en nou jij weer.'

'Hou je rustig, Flip, ga nou even op een stoel zitten. We zijn aan het onderhandelen,' zei Paul.

'Dat bedoel ik maar,' zei Van Hulst. 'Gewoon als verstandige artiesten. Goed, ik geef jullie een week. Meer kan ik niet voor jullie doen.'

'Oké, dat is redelijk.'

'Dan wens ik jullie veel wijsheid toe. Aan jullie de keus. Mogelijk een internationale doorbraak of anders het geklooi in zo'n achterafzaaltje als laatst. Hier is mijn kaartje. Goedemiddag.' De producer stond op en liep naar de bar.

'Toch geen onaardige man,' zei Willem.

'Wat een zak,' zei Flip.

Paul fietste langs het oude ziekenhuis, een mooi gebouw van honderd jaar oud. Er stonden dikke bomen die misschien nog ouder waren.

Niet dat Paul nu belangstelling had voor oude gebouwen of bomen, hij had wel iets anders aan zijn hoofd.

Kim.

Een uur geleden was alles weer boven gekomen. En er was geen ontkomen aan, hij moest met haar praten. Vanavond nog.

Paul fietste niet hard, hij was ruim op tijd. Hij passeerde de gevangenis, de kleine huisjes van de bewaarders en de nieuwbouw van de afdeling voor zwaar gestoorde misdadigers. Om de een of andere reden ging Paul harder trappen.

Hij had het rot gevonden voor de jongens, maar hij kon vanavond eenvoudigweg niet repeteren. Onmogelijk. Ze keken bedenkelijk toen hij het uitlegde. En daarna had hij Kim gebeld.

'Leuk, ik miste je al,' had ze gezegd.

Paul was daar maar niet op ingegaan.

De Prinsentuin, om halfacht.

8

'Kus!' riep Kim stralend.

Voor het eerst sinds hij haar kende, lukte het Paul zijn hoofd en zijn lippen tegen te houden. En dus stak zij nu haar hoofd naar voren en gaf hem een kus.

Ze was mooi en de kus smaakte lekker.

Kop erbij! Niet laten afleiden!

'Fijn dat je er bent,' zei Kim. 'Ik had je de vrijheid gegeven om voor je vrienden te kiezen. Maar de liefde is sterker. Ik wist het.'

'Eh... zullen we gaan wandelen?' vroeg Paul.

'Hè ja. Door stille straten en langs bomen en bosjes. En af en toe een pauze in een donkere portiek. Een lange lekkere pauze. Wat ben je toch romantisch.'

'Kim?'

'Je hoeft het niet te zeggen, dat heb ik ook.'

'Ik weet niet wat je bedoelt, maar ik moet je wat vertellen,' zei Paul.

'Ik jou ook. Mag ik eerst?'

'Nou, ik weet niet...'

'Volgens mij vind je het net zo moeilijk als ik. Ik heb een uur geoefend.'

'Ik ook, maar...'

'Zie je wel? We kunnen er maar beter voor uitkomen. Ik vind dat we eerlijk tegen elkaar moeten zijn. Dat is waar het om draait. Eerlijkheid, openheid. Dat je elkaar alles kunt vertellen, zonder dat de ander boos wordt. Vind je niet?'

'Eh... ja, natuurlijk.'

'Goed. Daar ga ik dan. Even stilstaan.' Kim ging voor Paul staan en legde een hand op zijn schouder. Ze keek hem lang en lachend aan. 'Ik, Kim, hou van Paul Dupont. Zo. Ik heb het gezegd. Het was moeilijk, maar het moest. Ben je blij? Nou mag jij wat zeggen.' Kim keek hem lief aan. Ze las in zijn ogen wat ze wilde horen.

Maar ze kon niet lezen.

'Ik wil iets anders zeggen,' zei Paul.

'Je hoeft van mij niet hetzelfde te zeggen als ik, lieverd. Doe het maar in je eigen woorden.'

Paul wist het niet meer. Hij had geoefend, maar voor de verkeerde situatie. Opeens kon hij niet meer uitleggen wat er nou eigenlijk niet klopte.

Laf gelul! Gewoon beginnen! Voel je je lekker bij Kim? Nee? Nou dan! Draai er niet omheen!

'Kim?'

'Ha, toe maar, laat je gaan.'

'Nee, nee. Er is iets anders. Laat me nou even. Ik moet dit aan je vertellen.'

Kim straalde nog steeds, maar iets minder dan zopas. 'Moet dit zo serieus? We zijn hier voor ons plezier, hoor.'

'Luister nou even. Dit is wat ik wil zeggen: Kim, het gaat niet goed.'

'Jawel, hoor, je doet het goed. Toe maar, het geeft niet.'

'Ik bedoel met ons. Het gaat niet goed.'

Tegenover het Natuurhistorisch Museum, tussen drie treurwilgen, stond een bankje. Paul keek Kim aan en ging zitten. Kim niet. Ze stond voor hem en stak haar armen omhoog. Paul zag haar navel. Niet doen! Laat je niet afleiden!

'Niet goed?' fluisterde Kim. 'Lieverd, hoe bedoel je? Het gaat hartstikke goed. Het gaat juist steeds beter. Je hebt begrepen dat de liefde boven dat oppervlakkige gedoe met je vriendjes gaat.'

'Nee, Kim.'

'Wat is er dan? We zijn nog nooit zo gelukkig geweest, toch? Ik tenminste.'

Paul wist: als ik het nu niet zeg, als ik nu niet praat, dan lukt het me niet meer. Dan ga ik weer voor de bijl.

'Ik vind je mooi en meestal lief. En het vrijen, ik... Shit! Nou, wat

54

ik... Je zit te veel boven op me, ik moet van alles, ik krijg geen ruimte, zoiets. Ik krijg het benauwd.' Zo het begin was er. Uitleggen ging nog steeds niet, maar dit was beter dan niks.

Kim keek naar de grond.

'Je doet iets met me,' zei Paul, 'waar ik van in de war raak. Ik weet niet wat. Ik mag sommige dingen niet zeggen. Als het goed lijkt, gaat het juist fout. En als het mis is, doe je lief. Ik kan het niet uitleggen, maar ik kan er niet tegen.' Zo, dat was eruit.

Kim keek Paul nu aan.

Geen glimlach of lieve ogen. Zo had hij haar nog niet eerder gezien. Mooi? Ja. Ver weg mooi. Hard mooi. Koud mooi. Krokodilmooi. Nee, niet mooi.

'Je wilt stoppen,' zei ze zachtjes, maar keihard.

'Ik geloof... eh...'

'Je wilt het uitmaken.'

'Ik eh...'

'Je wilt het uitmaken.'

'Je doet dingen die ik niet begrijp. Die er niet bij passen.'

'Je wilt het uitmaken.'

'Ik denk dat we een poosje...'

'Uitmaken, dus?'

'...een poosje elkaar niet moeten zien.'

Kim knikte. Eerst een beetje, toen heftig. Ze draaide zich om. Geen van beiden zei iets.

Na een paar minuten kwam ze naast Paul zitten en sloeg een arm om hem heen. Ze keek hem aan met een verdrietige glimlach. Paul zag dat ze een beetje huilde. Verschrikkelijk vond hij het. Niet huilen! Alsjeblieft niet huilen!

'Paul,' zei Kim zachtjes, 'ik denk dat je gelijk hebt. Ik begrijp je. Ik wilde te veel. Ik ben zo gek op je, dat ik te hard van stapel liep. Sorry. Ik zal je ruimte geven. Ik wil je je vrijheid niet afpakken. Oké? Zo beter?'

Ze zei het lief en ze zei lieve dingen. Paul wist het niet meer. Dit was toch precies waar het om ging? Dit was toch wat hij eigenlijk wilde horen?

Nee! Ze deed het weer! Ze pakte hem in! Hij had haar net gezegd dat hij niet meer wilde, en nu nam ze het weer van hem over.

'Kim, ik vind het vreselijk moeilijk, maar ik vind dat we elkaar een tijdje niet moeten zien.'

'Goed, lieverd. Die week kom ik wel door. Kom maar even tot rust. Laat het allemaal op je inwerken. Het ging bij mij ook niet in een keer. Gelukkig is de liefde sterk, die overwint alles. Die gaat door beton. Kus!'

'Wacht nou even! Ik bedoel niet een week! Ik bedoel gewoon voorlopig niet! Ik kan er niet tegen! Snap je het nou?'

Kim keek hem aan, wendde haar hoofd af en knikte. Zo bleef ze een poosje zitten. 'Ja, Paul, ik snap het.' Ze stond op. 'Ik snap het heel goed. Beetje misbruik van me maken en me dan laten vallen. Zorgen dat ik verliefd word, van je ga houden en dan gewoon even zeggen dat het weer voorbij is. Ja, ik snap het. Ik heb je alles gegeven wat ik heb en je gooit het weg. Je gooit mij weg. Net als Felix, die klootzak!' Kim draaide zich om naar Paul en haalde uit. Haar hand kwam vol op zijn neus terecht. Paul dook in elkaar en greep naar zijn gezicht. Zijn vingers zaten onder het bloed.

Het duurde even voor hij iets kon zeggen. 'Je bent geschift, Kim. Ik ga weg.' Hij stond op.

'Oh, sorry! Heb ik je erg pijn gedaan? Je weet dat ik het niet zo bedoel! Je kent me toch! Sorry, lieverd.'

'Ik ga weg. Dag.'

'Natuurlijk! Je bent boos! Terecht. Maar dat is straks weer over! Dat weet jij toch ook? Ga maar. Denk erover na. Dan weet je weer waarom je van me houdt. Doe maar, het is goed. Het komt goed.'

'Het komt niet goed, Kim. Het is voorbij.' Paul liep weg.

Kim stond naar de wolken te praten. Hij hoorde nog wat flarden van wat ze zei.

'Lieverd... ik... ik... samen... later... niet dood... ik...'

En toen was hij de eerste straat links ingeslagen.

9

Het raam, twee meter breed, kwam tot aan de vloer. Als je ervoor stond en naar beneden keek, had je de neiging je ergens aan vast te houden. Er kwamen wel eens mensen met hoogtevrees op het kantoor. Die bleven altijd een paar meter bij het raam vandaan. John van Hulst, popzanger en producer bij platenmaatschappij Jupiter, had geen hoogtevrees. Hij keek naar buiten en zag twee duiven voorbijkomen.

'Shitduiven. Kloteduiven,' mompelde hij.

'Zei je wat, John?' zei Kees van Oven. De baas van Jupiter zat achter zijn bureau. Hij had een leeg glas in zijn hand.

'Niks. Er vlogen een paar duiven voorbij.'

'Tjonge, dat is even schrikken. Wat dacht je, als ze maar niet naar binnen vliegen? Zelfmoordduiven?'

'Ja, ja, leuk. Doe me maar een klein glaasje Bacardi. Echt een klein glaasje, je weet dat ik niet meer drink.'

'Nou, vertel, hoe ging het vanmiddag met die pubergroep?'

'Ging wel. Er zit één klein klootzakje bij. Jammer genoeg is dat de zanger en hij is nou juist de enige die wat voorstelt.'

'En de rest heb je wel eh… overtuigd, om het zo maar te noemen?'

'Ja. Behalve de drummer. Die vent is ramgek. Onbruikbaar.'

'We hebben genoeg goede drummers in ons bestand, geen probleem. Ik denk aan Kees van Hurk. Piet Söder. Barend Brilma van de Aliens. Wat heb je afgesproken?'

'Volgende week krijg ik een telefoontje.'

'Hoezo een telefoontje? Je hebt het dus niet geregeld, begrijp ik? Ik heb je gezegd dat ik geen geld meer steek in jou en zo'n prutclubje, als je je niet aan onze regels houdt. En die regels zijn klip en klaar: wíj maken een cd. Niet jij en niet zo'n stelletje losers. Zij zeggen ja tegen onze voorwaarden. Anders hebben ze pech gehad. En jij ook.'

'Rustig maar, Kees. Het komt allemaal goed.'

John van Hulst keek uit het raam. Er vloog nog een duif voorbij. 'Kloteduif,' mompelde hij.

Op zondagochtend om halftwaalf had Paul er genoeg van. Hij was al een uur wakker. Het liefst wilde hij weer in slaap vallen, maar dat lukte niet.

Gisteravond.

Kim.

Hij voelde zich lekker en rot tegelijk. Dat vond hij wel logisch. Hij miste het lekkere en was van het rotte verlost. Hij voelde zich nu iets meer rot dan lekker, maar dat kon over vijf minuten andersom zijn.

Eruit. Woelen hielp niks.

Onder de douche begon het allemaal op te klaren. Het was net of na het haren wassen zijn hele kop schoon geworden was. Paul droogde zich af en greep zijn mondharmonica. Die klonk nergens mooier dan in de badkamer.

Tioe tu tu tioe.

Ti ti tu tioe.

'Ik heb gewacht met afruimen,' zei Pauls moeder toen hij de keuken inliep. 'Je kwam zo laat thuis. Had je niet met papa afgesproken dat twaalf uur laat genoeg is?'

'Het is moeilijk om met papa iets af te spreken. Hij is er zo weinig.' Dat was wel een goeie, vond Paul. 'Waar is hij eigenlijk?'

'Even kijken, hier staat het. Hij heeft een bespreking in Hamburg met Isela Perström uit Zweden en Gaby Schimmel van de universiteit van eh... Hamburg. Waarover weet ik niet. Wil je muesli of een crackertje?'

'Ik doe wel een broodje pindakaas.'

'En waar was je nou gisteravond? Je bent zo vaak weg de laatste tijd. Heb je een vriendinnetje of zo? Je vertelt me zo weinig.'

Dat klopte. Paul had geen enkele behoefte zijn moeder op de

hoogte te houden van zijn liefdesleven. Hij had een keer een meisje mee naar huis genomen op wie hij erg verliefd was. Toen ze weg was, kwam zijn moeder even gezellig bij hem aan de keukentafel zitten. 'Dat is dus helemáál geen meisje voor jou, Paul,' had ze gezegd. 'Sorry, ik heb er kijk op, maar ze past absolúút niet bij je.' Sindsdien had zijn moeder geen recht meer op informatie over zijn verliefdheden, vond Paul.

Zoveel waren het er trouwens niet.

'Een nieuw liefje?' hield zijn moeder aan.

'Eén? Drie. Onder wie een jongen uit Appelscha. Is nog een heel gedoe.'

'Je houdt me voor de gek, mallerd.'

'Weet je het zeker?'

Lekker geen huiswerk vandaag. Maandag had hij de eerste twee uur vrij, daar moest hij voldoende aan hebben.

De hele middag om te werken. Aan de site van de band en aan *De Weg*.

Er moest nog tekst bij. Eén couplet was af en het refrein ook, maar dat was niet genoeg. Paul ging achter de pc zitten en staarde naar het scherm. En zo kwam Kim weer boven. Niet vervelend, nu, ze bleef op een afstand. Op een prettige afstand. Ze kon hem helpen, voelde hij, met het tweede couplet. Hij deed zijn ogen dicht.

In de modder, in het bos

In de hemel, in de stront

Ik laat je gaan, ik laat je los.

En dan iets met mond of kont. Of hond of ongezond. Pond. Grond.

Op de weg, waar ik je vond.

Dat was niet slecht.

Mondharmonicasolo.

Tu tioe tioe tu tu tioe.

Ook goed.

Volgende couplet.

Ik heb genoeg, er kan niks bij

Wacht, blijf staan

Je bent te veel voor mij
Het is over, ik moet gaan.
Zo, dat lijkt me duidelijk, dacht Paul.
Maar daar vergiste hij zich in.

Tegen vijven had Paul drie coupletten geschreven. Zijn solo had hij ook uitgewerkt en geoefend. Zacht, raspend en gevoelig, precies zoals hij het in zijn hoofd had.
Lekker. Hij voelde zich voor het eerst in dagen goed. Sterk. Opgelucht, lacherig. Kwam ook een beetje door zijn T-shirt. Hij trok meestal een tekst aan die bij zijn stemming paste. Maar soms ging het andersom. Dan werd hij geholpen door wat er op zijn borst stond.
IK BEN BESMETTELIJK
Hij kon het niet uitleggen, maar dit deed het altijd.
Even Beertje, Willem en Flip de tekst mailen. Zijn solo had hij opgenomen en verstuurde hij ook via het net. Hij was benieuwd naar hun reacties.
Was er nog post?
Ja, één e-mail.
Kim.
Shit!
Ik heb geen zin, dacht Paul. Ik laat mijn stemming niet bederven. Hup, in de prullenmand.
En hij staarde naar het scherm. En staarde.
Vaag zag hij Kim achter het glas. Ze lachte. Shit, wat lachte ze mooi. Paul klikte 'prullenmand' aan en haalde haar bericht terug. Daar was ze.

Lieve Paul,
Je bent een vuile rat. Iemand zó verliefd maken en dan bij het grofvuil zetten!
Je hebt me geraakt, in mijn hoofd, mijn borst en mijn buik.
Klootzak!
Maar ik geloof in mezelf. Ik weet dat ik van je hou. En ik weet ook dat jij jezelf voor de gek houdt. Dat heb jij niet door, maar ik wel.

Dus ik geef je nog een kans.
Dikke zoen,
Kim

PS: Ik droomde vannacht van Felix. Het was net of hij weer leefde. Ik heb
nog nooit zo'n nachtmerrie gehad.

Onmiddellijk nadat Paul de brief gelezen had, gooide hij hem weg.
Hij wilde dat hij het bericht niet had gezien. Het verstoorde alles
wat hij vandaag had opgebouwd.
Hij pakte zijn bluesharp en probeerde een nieuwe melodie. Het
ging niet.
Hij kon het niet laten. Hij klikte de brief weer op het scherm en
las. En las hem nog een keer.
Hij kreeg nog een kans. Maar hij wilde helemaal niet nog een
kans! Ze verbeeldt zich dat ze weet wat goed voor me is, dat ze me
beter kent dan ik mijzelf. Daar heb je het weer! Ze wil me claimen,
kneden, opeten! Ze snapt het niet!
En dan dat PS. Paul kreeg er een naar gevoel van langs zijn ruggen-
graat.
Hij zuchtte en tikte een bericht.

Kim,
Ik heb je uitgelegd dat ik niet meer wil.
Ik vind het vervelend als ik je verdriet doe.
Maar het is voorbij. Je moet dat accepteren.
Mail me niet meer.
Laat me alsjeblieft met rust.
Paul

Zo. Dat was dat. Klaar.
Maar dat had Paul goed mis.
Binnen een kwartier was er een reactie.
Een reactie waar Paul behoorlijk zenuwachtig van werd. En misse-
lijk. Kotsmisselijk. Het zweet brak hem uit.

Paul liep naar de badkamer, pakte een washand en hield die onder de kraan. Hij waste zijn gezicht met koud water en ging op de wc zitten. Een kwartier lang. Af en toe veegde hij met de washand over zijn voorhoofd. Langzaam ging het beter.

Ze was geschift! Volkomen knar!

Paul liep terug naar zijn kamer.

Naar zijn kamer met die rotcomputer.

Die rotcomputer met dat bericht.

Dat geschifte bericht.

John van Hulst, producer van platenmaatschappij Jupiter, zat op een kruk aan de bar van café *De Pukkel* en verscheurde het zoveelste bierviltje. Hij baalde.

Van die zak van een Kees van Oven, die opgeblazen omhooggevallen boekhouder. Geen klote verstand van muziek, maar hem, John van Hulst, gevierd popzanger, wel even vertellen hoe hij met muziek moest omgaan. Hoe hij muzikanten moest behandelen. En ondertussen dreigen. Dreigen dat hij eruit zou vliegen.

Hij zat klem. Van Oven had het geld en de macht. En hijzelf het talent, vond hij. Het was toch godgeklaagd dat hij zo aan het lijntje van die nul moest lopen – 'Ja, Kees, nee, Kees, is goed, Kees, ik doe mijn best, Kees' – om nog een kans te maken op een eigen cd. Het materiaal lag klaar. Prachtige nummers, R&B, goeie teksten, gave zang, zijn donkerbruine rookstem was nu eigenlijk op zijn mooist. 'Misschien later,' was het positiefste wat die zak had losgelaten. Misschien later, ja. Later was te laat.

Het was absoluut noodzakelijk dat het project met die jonge gasten zou slagen. Anders kon hij het wel schudden. Dan waren zijn kansen op een come-back verkeken. Dit was de laatste mogelijkheid.

Stiekem had hij nog wel eens wat eigen nummers opgestuurd naar een paar concurrerende platenmaatschappijen. Alleen maar lullige briefjes teruggekregen van lui die geen verstand hadden van goeie muziek. 'Geen hitpotentie', 'Ouwelullenmuziek', 'We zoeken jonge artiesten, geen dino's', en zo meer. Onbenullen.

En John van Hulst baalde van die knullen. Grote waffels. Grappen die hij op zijn dertigste nog niet had durven maken. Ze moesten nog beginnen met hun carrière, maar nu al praatjes, spatjes. Eisen stellen. Toen hij begon, had je je mond te houden. Je mocht blij zijn dat een platenmaatschappij de moeite nam om naar je te luisteren. Verwende etterbakjes.

Tenslotte baalde John van Hulst van zichzelf.

Dat hij zich liet verleiden tot dit klotevak. Meelopen met een groot bedrijf dat alleen maar voor de poen met muziek bezig was. Zich in laten pakken met vage beloftes. Mooie muziek van nieuwe bandjes willens en wetens kapotmaken en verkrachten door alles wat origineel was eruit te halen en er commerciële rommel van te maken. Hij was een laffe ex-muzikant. Niets meer dan dat.

Hij bestelde nog een wodka-martini. Geen pure wodka, dat deed hij niet meer sinds hij van de drank af was.

Hij was altijd een vrolijke, onbezorgde jongen geweest. Iemand van 'Och, we zien wel. Komt allemaal goed'. Altijd in voor grappen, altijd opgewekt.

Maar nu baalde John. Al een hele poos. En daar baalde hij nog het meeste van.

Paul had de neiging zijn pc het raam uit te mieteren. Dan was hij tenminste onbereikbaar voor rare, geschifte en ongevraagde e-mail. Kims brief stond nog op het scherm. Hij keek de andere kant op. Wel zag hij vanuit zijn ooghoek het geflikker van de monitor. Het geflikker van Kim.

Paul,
Als je denkt dat je ongestraft iemand zo kunt kwetsen, dan heb je het goed mis.
Je hebt misbruik van me gemaakt.
Daar moet je voor betalen. Nee, geen geld, dat heb ik genoeg.
Je zult nog merken wat het je gaat kosten.
Ik heb al wel een idee.
Het zal je pijn doen. Evenveel pijn als je mij hebt bezorgd.

Dat is alleen maar eerlijk.
Het is je eigen schuld.
Maar ik hoop nog steeds dat je er eindelijk achter komt dat je wél van me houdt. Ik wil je gelukkig zien. Wij samen. Verder is alles onbelangrijk. Volkomen onbelangrijk.
Kus,
Kim

PS: Als er typefoutjes in deze brief staan, dan komt dat omdat ik in mijn hand gesneden heb. Stom ook, om met een scheermesje te spelen.

Weg ermee!
Paul sloeg met zijn hand op een paar toetsen, maar het bericht bleef hem aankijken. Beheers je! Het lukte uiteindelijk met een trillende wijsvinger de brief van Kim in de prullenmand van de pc te krijgen. Daarna leegde hij de prullenmand en was de brief weg. Versnipperd door de chips. Verwijderd uit het geheugen van de computer.
Maar niet uit Pauls geheugen.
Niks prullenmand. Niks druk op een knop.
De brief zat in zijn kop. Hij wilde hem er wel uittimmeren, maar het zou niet helpen. Je kunt je hoofd niet deleten. Je hersens niet uitzetten.
Paul pakte zijn mondharmonica en speelde wat. Hij keek naar buiten. In het raam zag hij de tekst van Kims brief. Op de muur ook en op de vloer.
'Paul?' klonk het van beneden. Zijn moeder. Dit was voor het eerst in zijn leven dat hij blij was dat zijn moeder hem stoorde.
'Eten, schat!'
Aan dat 'schat' had Paul altijd de schurft gehad, maar het voelde nu bijna veilig en vertrouwd. Hij deed de computer uit en liep de trap af.
'Is papa er al?'
'Die zit in de file bij Bremen. Hij belde net. We zullen het met zijn tweeën moeten doen. Ook wel gezellig, of niet?'

Paul kende zichzelf niet terug.

Ja. Gezellig, ja. Gezellig met mijn moeder. Onwaarschijnlijk, maar waar. Ik heb behoefte aan gezelligheid. Aan gezelligheid met mijn moeder. Doe niet zo raar! Bemoei je er niet mee. Mag het alsjeblieft?

'Gezellig? Ja hoor, best wel. Wat eten we?'

'Tartaartje, aardappelpuree, dat vind je altijd lekker, en peultjes met spekjes. De spekjes mag je aan mij geven.'

'Ik heb niks met peultjes. Mag ik die ook aan jou geven?'

'Nee, hoor. Peultjes zijn gezond.'

'Tien peultjes dan.'

'Twintig krijg je op je bord. En geen cent minder.'

'Twaalf.'

'Zeventien.'

'Dertien.'

'Vijftien,' zei Pauls moeder.

'Verkocht,' zei Paul.

De tartaar, gekneed door zijn moeder, rook naar parfum en de puree zat vol met stukjes, maar het geheel was toch niet onsmakelijk. Na afloop nam Paul zelfs een kommetje dubbelvla.

'Gezellig, hè,' zei zijn moeder. Ze zat met haar hoofd ondersteund aan de overkant van de tafel. 'Weet je dat je op je vader begint te lijken?'

Paul wist niet zo snel of hij daar blij mee moest zijn.

'Je stem. En je neus.'

'Mm.'

Toen klonk er gemorrel. Gebonk. Gebonk ergens in de gang. Nee, bij de voordeur.

'Ha, daar zal je papa hebben,' zei Pauls moeder. 'Viel het toch mee met de file.'

Maar het viel niet mee met de file. Het was papa niet.

Het was niemand.

Paul had geen moeite 's avonds op tijd naar zijn kamer te gaan. Hij was moe.

Hij had geen zin om nog aan zijn website te werken. En al hele-maal niet om zijn post te controleren.
Slapen, droomloos, dat wilde hij.
Dat lukte, tegen halfelf.

De straatlantaarns brandden nog. Er liep een hond over de stoep. Onder de boom aan de overkant stond iemand te schuilen. Dat was vreemd, want het was al uren droog.

10

De volgende week verliep betrekkelijk rustig.

Paul had veel huiswerk te doen, hij had de laatste tijd een boel laten versloffen. Erg vond hij dat niet. Het leidde hem af van de gebeurtenissen van het afgelopen weekeinde.

Woensdag was het sportdag. Paul had zich ingeschreven voor voetbal, maar het had ook volleybal kunnen zijn. Sport interesseerde hem niet zo. Beetje schoppen of slaan tegen een bal en dan juichen als die toevallig ergens in of tussen komt, hij begreep dat niet zo goed. Hij vond het voornamelijk gezellig.

Ze hadden hem linksbuiten gezet. Een paar keer had hij de bal. Die trapte hij dus vooruit en dan maar rennen. Omdat hij nogal hard kon lopen, kwam hij twee keer alleen voor het doel terecht. Omdat hij daar toch was, schopte hij. Twee keer naast.

Maar dat gaf niks, ze stonden al met vijf of zes nul voor. Of achter.

Pas op donderdag kon Paul het opbrengen om te kijken of er nog e-mail voor hem was.

Dat was er.

Twee keer Beertje over hun nieuwe nummer, een keer Willem met een verhaal over een gebroken snaar, en een bericht van een internetbedrijf dat voor vijf euro T-shirts kon leveren met elke tekst die je maar wilde.

Verder niks.

Verder goddank niks.

Vrijdagavond overleg en repeteren met de boys.

Zaterdag moest er gebeld worden met Jupiter en ze waren er nog lang niet uit. Buigen en doen wat ze zeggen? Voet bij stuk houden? Iets ertussenin? Beetje buigen, beetje vasthouden? Paul wist het wel. Flip waarschijnlijk ook. Maar Beertje, en Willem?

Het was lekker koel in de bunker, de oefenruimte onder het viaduct.

'Klotesnaar,' zei Willem. Hij was als een bezetene met zijn gitaar bezig. Prutsen, priegelen, draaien, zuchten.

PLONG deed Beertje. Hij testte zijn basgitaar maar had even niet aan de volumeknop van zijn versterker gedacht. Er trilde wat stof van een balk naar beneden.

'Shit, man!' riep Flip. 'Ik schrik me lens! Aan de andere kant: eindelijk een mooi akkoord! Nog een keer! Nog een keer!' Flip had een nieuwe haarcoupe, hij was het gedoe met die pluk haar aan de ene kant zat. Een kapper had hij niet nodig gehad, een schaar en een scheerapparaat waren voldoende. Nu was hij dus kaal. Dat wil zeggen, voor de helft. De andere kant, de kale kant, had hij juist een poosje laten groeien. Ik weet niet of ik hier iets mee opschiet, had hij nog wel bedacht, maar het paarse pilletje dat hem altijd hielp als hij het even niet wist, deed ook nu zijn plicht. We zien wel, zei het pilletje.

'Gaan we eerst spelen en dan overleggen over Jupiter, of andersom?' vroeg Paul.

'Strak plan,' zei Flip. 'Misschien is het goed om eerst te spelen. Maar andersom kan natuurlijk ook.'

'Dank je, dat schiet lekker op,' zei Paul.

Willem stond nog steeds met zijn gitaar te prutsen. 'Eerst maar overleggen. Die nieuwe snaar wil er niet in.'

'Houwen zo,' zei Flip.

'Hou je kop,' zei Paul.

'Ik hoorde gisteren een grap. Een absolute wereldmop. Willen jullie hem horen?' vroeg Flip.

'Yes.' Beertje stond aan zijn knopjes te draaien.

'Oké.' Het leek Paul een eeuw geleden dat hij in een deuk had gelegen. Een mooie, vette, slappe lach, daar was hij wel aan toe.

'Goed. Ga maar even zitten, je weet niet wat je overkomt.' Flip ging staan en schudde zijn hoofd. Hij was even vergeten dat er niets meer voor zijn ogen hing. 'Let op.'

Iedereen lette op. Behalve Willem die met zijn gitaar aan het

vechten was, en Beertje, vanwege de knoppen op zijn versterker.
'Goed,' zei Flip. 'Er komt een man bij de dokter.'
'Die ken ik al,' zei Beertje.
'Hou je hoofd, deze ken je helemaal niet. Oké, er komt een man bij
de dokter.'
'Dat zei je al, ja. Begin nou eens,' zei Willem.
'Als jullie je er even niet mee bemoeien, had ik hem allang verteld,
eikels!'
'We luisteren, Flip. Vertel je mop. Maar ik waarschuw je. Als hij
niet leuk is, dan hou je de hele avond je kop,' zei Paul.
'Dat is redelijk. Nou vooruit. Er komt een man bij de dokter.'
'Alweer? Die heeft het behoorlijk te pakken,' zei Beertje.
Flip draaide zich om. De anderen zaten te lachen.
'Ik vind hem leuk,' zei Willem.
'En hij begint pas,' zei Paul.
Flip haalde iets uit zijn zak en stak het in zijn mond. Hij ging
voor Willem staan. 'Denk erom. Als je zo doorgaat, vertel ik hem
niet.'
'Oh, was er nog meer? Wat een lange, zeg!'
'Even ophouden, jongens. Hup, Flip, laat horen,' zei Paul.
Flip krabbelde in zijn halve baard. En speelde even met zijn pier-
cing. 'Goed, er komt dus een man... nou ja, dat lijkt me duidelijk.'
'Bij de dokter?' vroeg Beertje.
'BIJ DE DOKTER, JA!'
'Ik wíst het!' zei Beertje.
'En toen?' vroeg Willem.
'Wat kan ik voor u doen, zegt de dokter. Nou, wilt u eens naar mijn
rug kijken, zegt hij.'
'Die dokter?' vroeg Willem.
'Nee, die man natuurlijk, eikel. Goed, zegt die dokter, doe het
zwikje maar uit, dan kijk ik even. Die vent trekt zijn kleren dus uit
en gaat met zijn rug naar de dokter staan. Goedemorgen, dat is
geen kleinigheid, zegt hij.'
'Die man?' vroeg Beertje.
'DIE DOKTER, zak! Goed, die vent heeft dus een tattoo van een

halve meter op zijn rug. Een vrouwenhoofd met krullen en zo. Die dokter schrikt zich rot. Die ken ik, denkt hij. Wie is dat, vraagt hij.'

'Die vent?'

'De dokter. Nou, zegt de man, dat is de vrouw van een kennis van een neef van de babysitter van de buren van de slager van de ex-man van een hofdame van koningin Beatrix.' Hier viel Flip even stil.

'Wat is er?' vroeg Paul.

'Wacht even. Ik eh... ik ben het even kwijt.'

'Die hofdame van koningin Beatrix.'

'Oja. En wat is daarmee, vraagt de dokter. Heeft u er last van? Ik ken die kop, denkt hij nog steeds.'

'De dokter.'

'De dokter, ja. Nee hoor, daar heb ik helemaal geen last van. Maar waarom wilt u dan dat ik ernaar kijk, vraagt hij. De dokter, dus. Nou, omdat het zo'n mooie tattoo is! Begrijp je? Gaaf, hè, mooie grap, of niet? Ik geloof tenminste dat hij zo ging.' Flip lag inmiddels dubbel van het lachen en mepte met zijn hand op het dijbeen van Paul.

'Ik weet niet of ik hem snap,' zei Willem.

'En wat is er dan met die hofdame?' vroeg Beertje.

'Hofdame? Oh dat. Ja, dat weet ik eigenlijk niet. Dat snapte ik ook nooit.'

'Die dokter,' zei Paul. 'Die kende dat vrouwenhoofd. Hoe kende die haar? Wie was het dan? Zijn eigen vrouw?'

'Waar heb je het over?' Flip schoot nog een dingetje in zijn mond.

'De dokter herkende de vrouw van de tattoo, vertelde je.'

'Ik? Hoe kom je erbij. Waarom zou ik. Wat interesseert mij nou wat die dokter dacht. Daar ging het toch helemaal niet om? Het idee, zeg.'

'Wij hebben hier alledrie gehoord dat de dokter die vrouw kende. En nou willen we dus weten wie dat was.'

'Hoe kan ik dat nou weten, idioot? Heb je een gaatje in je hoofd of zo? Ik ben er toch niet bij geweest, of wel? Ik ken die vent niet eens!'

'Oké,' zei Paul. 'Ik vond hem wel leuk. Maar nou wat anders. Wat zeggen we zaterdag tegen die John van Hulst?'
'Niet zeiken. Gewoon ja zeggen,' zei Beertje.
'Vind ik ook,' zei Willem.
'En jij, Flip?'
'Poot uittrekken. Betalen of wegwezen.'
'Tja, dit schiet niet op. Is het iets om er ergens tussenin te blijven? We zeggen dat we het wel willen proberen, maar dat wij de baas blijven over onze muziek. Dat we het eens moeten zijn over veranderingen. En dat we allemaal meedoen. Als ze nu al met studiomuzikanten beginnen, hebben we straks geen band meer over.'
'Nou, vooruit,' zei Willem.
'Oké,' zei Beertje.
'En jij, Flip?'
'Poot uittrekken. Betalen of wegwezen.'
'Ja, daar moeten we het ook over hebben, dat klopt. We vragen om een percentage van de verkoop, als er een cd in de winkel komt. Zullen we het zo doen? Lijkt me heel redelijk. Afgesproken?'
'Goed,' zei Beertje.
'Akkoord,' zei Willem.
'En jij, Flip?'
'Poot uittrekken. Betalen of wegwezen.'
'Dan zijn we eruit,' zei Paul.
De rest van de avond verliep relaxed, prettig, met veel gelach en veel lawaai. Under Cover ging fantastisch en van De Weg klopte nog geen sodemieter. Maar dat gaf niet. Het staketsel, de structuur, het principe was goed. Het stond. Het kwam wel goed.

Er was geen maan en de sterren waren niet te zien. Paul trok de deur van de oefenruimte achter zich dicht en liep naar de lantaarnpaal waaraan hij zijn fiets had vastgemaakt. Het was halfelf.
Hij was moe en zijn lippen waren een beetje opgezet van het eindeloos oefenen op de mondharmonica. Hij wilde dat hij thuis was. Chocola eten of zo, daar had hij zin in. Hij had ergens nog een stuk letter liggen van twee jaar geleden.

'Dag lieverd. Dat is ook toevallig!'

Paul schrok zich te pletter. Even was hij uitgeteld.

'Kom ik hier langs, zie ik jou ineens bij die lantaarnpaal staan! Nee, dat is geen toeval, onmogelijk. Het moet kennelijk zo zijn. Kan niet anders.'

'Wat doe jij hier, Kim? Ik had je gevraagd me met rust te laten.' Ze stond voor hem en lachte. Ze was prachtig. Shit, wat was ze prachtig.

'Oké, ik stond op je te wachten. Ik moet met je praten.'

'Ik wil niet praten. Het is over, Kim. Ik dacht dat ik dat duidelijk had gemaakt.' Zo mooi was ze, zo mooi.

'Ik bedoel niet praten, ik wil je wat vertellen. Jij hoeft niks te zeggen. Ik wil alleen dat je even naar me luistert. Kan toch geen kwaad?'

Daar was Paul nog niet zo zeker van.

'Toe dan maar.'

'Paul, lieverd...'

'Geen lieverd, graag.'

'Ook goed. Paul, ik heb de afgelopen dagen heel veel nagedacht. Ik heb geprobeerd me in jou te verplaatsen. En langzaam begon het me te dagen. Dat ik zo egoïstisch was geweest. Dat ik veel te hard van stapel ben gelopen omdat ik zo gek op je was. Ik begreep hoe moeilijk ik het je heb gemaakt. En toen was het ineens heel helder. Ik zat je veel te veel op je nek! Ik liet je geen ruimte! Natuurlijk kon je daar niet tegen. Ik begrijp dat nu heel goed. Zo stom van me! Dat ik zo stom kon zijn!' Ze legde een hand op zijn schouder.

Paul was lichtelijk in de war.

Ze sloeg de spijker op zijn kop. Ze zei precies hoe het zat. Precies hetzelfde wat hij haar een paar dagen geleden had verteld. Dat was mooi. Dat was prettig. Maar ze vertelde ook precies wat hij wilde horen.

'Klopt, of niet?' vroeg Kim. Ze keek hem aan met verschrikkelijk lieve ogen.

'Ja, het klopt.'

'Ik wil niet dat je boos op me bent. Ik zal je met rust laten en je alle vrijheid geven.' Kim aaide zijn wang met haar wijsvinger. Daarna ging ze met haar vingers door zijn haar.

Paul wist niet wat hij moest zeggen. Haar hand voelde lekker.

'Paul?'

'Ja?'

'Ik begrijp je en zal niks van je vragen. Maar gewoon een zoen, een zoen omdat we zulke fijne dingen hebben beleefd?' Langzaam kwam haar gezicht dichterbij.

Paul bewoog niet. Ze was zo rustig, zo lief.

'Paul,' fluisterde Kim. Heel zachtjes duwde ze haar lippen tegen die van Paul. En toen iets meer, iets steviger, tot het een kus werd. Daarna werd het een echte zoen. Een lange, vochtige, warme zoen.

Paul had totaal geen verweer. Integendeel, hij werkte mee. Beetje terugduwen, zijn lippen wat uit elkaar. Hij voelde haar tong. Die maakte kleine beweginkjes. Paul gaf antwoord en toen zij weer.

Kim had zijn hand gepakt en die neergelegd op een heerlijk plekje. En dus kon hij zijn hand niet stilhouden. Zoals hij niets kon stilhouden. Kims zoen dekte alles toe. Er was geen alles meer, alleen nog de zoen.

Kims zoen.

Niet twee halve. Geen nietskusjes.

Geen gewone lippenzoen, maar een armen- benen- en borstzoen, een zoen van het hele lijf. Paul voelde hoe Kim zoende met haar buik. Hij zoende terug met zijn handen.

Het duurde een kwartier. Of zeker tien minuten. Minimaal vijf. Toen maakte Kim zich voorzichtig los.

'Dank je, Paul,' zei ze bijna onhoorbaar.

'Mm.'

'Paul?'

'Mm?'

'Ik wil je wat zeggen. Maar ik durf het alleen te fluisteren.' Ze gleed met haar wang langs die van Paul en raakte met haar lippen zijn rechteroor. Ze gaf er een zacht kusje op.

En hapte.

Ze beet met haar sterke tanden vol in Pauls oor en gaf een ruk. On-middellijk daarna spuugde ze een stuk vlees uit. Er liep bloed langs haar kin. Paul gaf een gil en greep naar zijn hoofd. Hij bloedde als een rund.

'Shit! Wat doe je nou! Je bent hartstikke geschift!' Hij was drie stappen achteruitgegaan en keek naar zijn hand. Die zat onder het bloed. Hij voelde weer aan zijn hoofd. 'Mijn oor, shit, mijn oor!'

'Hier, een zakdoek.'

Hij pakte het ding nog aan ook.

'Deppen. De zakdoek ertegenaan houden.'

Paul deed het.

'Zo. Staan we weer gelijk.'

'Gelijk? Gelijk? Je bent volslagen gek! Gestoord! Nuts!'

'Nee hoor. Het is eigenlijk heel redelijk.' Kim spuugde nog iets uit en veegde met een tissue haar mond af. 'Omdat ik dol op je ben, heb ik maar een klein stukje van je teruggevraagd. Het is heel simpel. Jij pakte iets van mij af en ik iets van jou. Eerlijk is eerlijk. Dit moest. Ik zal er verder niet moeilijk over doen.'

'Mijn oor! Shit! Je hebt mijn oor...'

'Even zo blijven staan. Ik zal je helpen. Het is gelukkig maar een klein stukje, hoor.' Kim hield een stapeltje papieren zakdoekjes tegen de zijkant van Pauls hoofd. 'Zo, het bloedt al bijna niet meer.'

'Volkomen geschift,' zei Paul. Het deed gek genoeg nauwelijks pijn.

'Sorry, lieverd, sorry. Ik heb er meer last van dan jij, geloof me. Het kostte me heel veel moeite om dit te doen! Ik ben zo gek op je.'

'Ik niet op jou, idioot! Snap je het nou nog niet?'

'Jawel, hoor. Ik snap het heel goed. Die zoen van zo-even, daar kunnen we niet omheen. Die zegt me genoeg. Ik wil je zeggen dat ik opgelucht ben. Niet meer boos. We staan quitte. Heerlijk. En je hoeft je dus ook niet meer schuldig te voelen.'

'Schuldig voelen? Ik? Je bent knetter! Waarom?'

'Omdat je me zo gekwetst hebt. Maar ik vergeef het je. Weet je, ik ben eigenlijk een heel makkelijk meisje.'

'Makkelijk meisje? Je bent een valse tang! Fuck! Mijn oor! Hoe haal je het in je hersens! Ik ga weg.' Paul stapte op zijn fiets, terwijl hij met een hand zijn oor vasthield.
'Je bent boos. Dat begrijp ik. Geeft niet, dat zakt wel weer. We...'
Meer hoorde Paul niet.

11

Kees van Oven, directeur van Jupiter Productions, schonk nog een Bacardi in en liep naar het raam. Dertig meter lager en iets naar rechts was een parkeerterrein. Onwillekeurig zochten zijn ogen de Jaguar. De donkergroene wagen stond op zijn vaste plaats aan de rand. Zijn Jaguar, zijn geliefde, zijn kind.

Linette, zijn vrouw, begreep daar niets van. Dat je van een auto kunt houden, dat je hem wilt aaien, een piepklein vuiltje van de motorkap met je schone zakdoek moet wegvegen. Een Jaguar heeft geen carrosserie, die heeft een huid. Hij praat. Zacht, maar krachtig. Als hij op vakantie was, en Linette lag op het strand, dan ging hij soms een uurtje in de auto zitten. Kijken, ruiken, aan de knopjes zitten, dromen.

'Ik heb niks met auto's,' zei Linette altijd. Ze zei het zo vaak dat Kees van Oven meermalen had overwogen haar in te ruilen voor een ander model. Dingen kun je misschien niet beledigen, maar een Jaguar is geen 'ding'. Daar moet je met respect en gevoel mee omgaan, vond hij.

Twee jongens met donkere krullen wandelden over het parkeerterrein. Soms wees er een naar een auto. Ze hadden geen haast. Even bleven ze staan en keken om zich heen.

Van Oven verstijfde. Doorlopen! Wegwezen!

De twee kuierden verder. Tussen onbeduidende BMW's en Mercedessen door, langs prutkarretjes en boodschappenautootjes liepen ze naar de rand van het terrein. Richting Jaguar.

Sodemieter op! Ga weg!

De jongens stonden naast de groene Jaguar. Eén keek om zich heen, de ander naar de auto.

Van Oven had het niet meer. Hij pakte zijn mobiel en tikte 112 in.

De ene jongen tikte zijn maat op de schouder en wees naar de Jaguar.

'Dit is 112, zegt u het maar?'
De andere jongen knikte en stak zijn duim op. Toen liepen ze verder, het terrein af en sloegen rechtsaf.
'Dit is 112, zegt u het maar!'
'Sorry, verkeerd verbonden,' zei Van Oven.
Ja, hij was gestresst, ja. Daar was potdorie ook alle reden voor.
Linette met haar gezeur over die face-lift. Maar vooral het gedram van de aandeelhouders. Ze waren niet tevreden over de winst van het afgelopen jaar. Hij was het trouwens ook niet. Alles zat tegen. Zijn clips en cd's werden veel te weinig gedraaid. En dan verkoop je dus voor geen meter.
Dus maar weer investeren in nieuwe groepjes. Zoals die snotgroep waar Van Hulst mee kwam aanzetten. Hij had er geen sodemieter vertrouwen in. Van Hulst moest er maar uit. Die kostte al jaren alleen maar geld. Grote stoere Van Hulst, met zijn eindeloze praatjes. Gigantisch dit, gigantisch dat. Ja ja. Hij had hem al veel te lang de hand boven het hoofd gehouden. Wil hij ook nog zelf een cd opnemen. Sodemieter even helemaal op, zeg.
Kees van Oven schonk nog een Bacardi in en keek naar zijn Jaguar. Hij werd er iets rustiger van.

'Wat heb jij nou?' vroeg Pauls moeder. Ze haalde een boterham uit de rooster.
Paul was de keuken binnengelopen en haalde een pak melk uit de koelkast. Hij had een vrij dikke witte plak verband op zijn rechteroor.
Het had hem verstandig geleken gisteravond nog even langs de poli van het Academisch Ziekenhuis te fietsen. Daar deden ze wat lacherig, maar hij werd snel verbonden. 'Heb je het stukje nog meegenomen?' vroegen ze. 'Dan kunnen we proberen de puzzel weer compleet te maken.' Paul wist niet of ze het serieus bedoelden. Hij had er trouwens absoluut niet aan gedacht. En het idee alleen al, op de tegels tussen de bloederige rommel naar een flurpje oor zoeken, nee. Dan maar liever zo.
'Ik vroeg: wat heb jij nou?' herhaalde zijn moeder.

'Hoe bedoel je?' vroeg Paul. Natuurlijk was dat een domme vraag. Maar hij had zijn reactie voorbereid. Dit was de fase 'nonchalant doen'.

'Nou, je oor.'

'Mijn oor? Oh, dat.' Hij dronk rustig zijn beker leeg. De fase 'vertragen'.

'Je oor, ja. Hoe kom je aan dat verband? Wat is er gebeurd, jongen? Zit het er nog wel aan?' Pauls moeder was naar hem toe gelopen en keek naar het verborgen oor.

'Ha ha. Ja hoor. Voor het grootste deel, tenminste.'

'Euh? Bedoel je... Is er...?'

'Een stukje, ja. Het meeste zit er nog, hoor, ha ha.' Fase 'grapje'.

'Goh, Paul, hoe komt dat nou? Wie heeft je verbonden?'

'Ik ben even in het ziekenhuis geweest. Eitje. Was zo gebeurd.'

'Maar wat is er dan gebeurd?'

Fase 'omleiding'. Voor geen goud zou hij vertellen over zijn ontmoeting met Kim. Zijn moeder wist niet eens van haar bestaan af. Hij zou alles moeten uitleggen. En hoe moest je je moeder uitleggen dat je een vriendin met kannibalistische trekjes had? Nooit van zijn leven.

'Nou?'

'Geslipt met de fiets, na de repetitie gisteravond. Er lag een stuk glas op de grond. Zodoende.' Een redelijk verhaal, vond hij.

'Goh, jongen, wat naar. En je oor, dat stukje... groeit dat... ik bedoel...'

'Ze zeiden dat geen mens links en rechts precies hetzelfde is. Dat was bedoeld als troost, geloof ik.' Zo, daarmee moest de fase 'berusting van moeder' toch wel zijn afgerond.

Dat had Paul goed ingeschat.

'Wil je nog een lekkere geroosterde boterham met rozenbotteljam of een crackertje of zo?'

Na het ontbijt had Paul nog even beneden gezeten. Hij had de krant doorgeracet, een glas chocolademelk gedronken en zijn moeder ontwijkende antwoorden gegeven toen ze over school begon. Daarna was het hoog tijd om zich op zijn kamer terug te trekken.

'Mag ik de telefoon mee naar boven nemen?'

'Zie je wel, je hebt wel een vriendinnetje.'

'Hou alsjeblieft op over vriendinnetjes,' zei Paul. 'Daar begin ik niet meer aan. Je vindt ze toch niet geschikt voor me.'

'Oh, dat is niet eerlijk. Dat was bij dat ene meisje. Ik zag gewoon dat ze niet bij je paste, dat was alles.'

'Dat bedoel ik,' zei Paul.

Hij voelde zich lekker op zijn kamer. Er waren allerlei regengebieden, moessons en depressies overgewaaid. Hij was opgeklaard. En pijn deed zijn oor ook niet.

Als hij al getwijfeld had over Kim, nu niet meer. Hij zou niet meer voor haar vallen. De bloederige gebeurtenis had hem uiteindelijk geholpen. Zij had hem geholpen. Hij was wakker geworden. Hè hè.

Paul ging op zijn bed liggen en pakte zijn bluesharp. Als hij zich klote voelde, speelde hij goed. Als hij zich lekker voelde, speelde hij heel goed.

Hij speelde heel goed.

Tioe tu tu tioe.

Ta ta tu tioe tu tioe.

Tioe tu tu tioe.

Lekkere riedel.

Hij moest zo een telefoontje plegen. Een heel belangrijk telefoontje. De toekomst van de band kon ervan afhangen. Hij zou zijn woorden zorgvuldig moeten kiezen. Hij wilde de touwtjes, in ieder geval één touwtje, in handen houden.

John van Hulst was een door de wol geverfde kerel, dat was wel duidelijk. Die lulde je niet onder tafel. Maar dat hoefde ook niet. Als hij jou maar niet onder tafel lulde, besefte Paul. Er was een gedachte die hem hielp. Een oude zanger had hem ooit gezegd dat je misschien wel afhankelijk bent van zo'n platenmaatschappij, maar dat die net zo afhankelijk van jou is. Zonder jou geen cd. Zonder cd geen winst. Simpel.

Tioe ta tu tioe.

Paul stond op en liep naar de plank met T-shirts. Even zoeken. Het kon geen kwaad een bijpassende tekst aan te trekken. Bijna onderop: ja! Hij verwisselde zijn shirt en moest lachen. Jammer dat Van Hulst hem niet zou kunnen zien.

Piep piep piep piep piep piep piep piep piep piep.

'…'

'Dag, meneer van Hulst. U spreekt met Paul Dupont. Ik zou u vandaag bellen over…'

'…'

'Goed. Je. John.'

'…'

'Ja, we hebben overlegd.'

'… … … …'

'Dat had ik begrepen. We zijn niet in de positie om eisen te stellen.'

'…'

'Nee, maar u ook niet, denk ik.'

'…!'

'Ik bedoel, we moeten gewoon overleggen.'

'…'

'Ja, wij zijn het wel eens, ja.'

'…?'

'We willen graag met jullie aan Under Cover werken. Als je ideeën hebt om het nummer te verbeteren, hartstikke mooi. Maar we willen wel inspraak.'

'… …'

'Natuurlijk, jullie zijn de baas. Maar wij zijn de muziek.'

'…'

'Oké, dan zijn we het daarover eens.'

'… …'

'Nee, hoor, we doen allemaal mee. Anders gaat het over.'

'… …'

'Ben je gek, daar begin ik niet aan. Mooi compliment, maar ik zit nog steeds in een band. Samen uit, samen thuis.'

'…'

'Leuk bedragje noem je daar, ik laat me bijna omkopen. Grapje. Kies maar, John. Alles of niets.'

'...'

'Hoezo, die gek niet?'

'...'

'Ja, hij is gek. Maar hij kan wel drummen.'

'... ...!'

'Dus ik moet hem vertellen dat hij niet meedoet?'

'...'

'Dan zijn we uitgepraat. Dag, John, succes verder.'

'...'

'Hoezo wacht even?'

'... ... ...'

'Je gaat, speciaal voor ons, nog eens praten met de directeur? Mooi zo.'

'...'

'Voorlopig niks verdienen? Dan doen we niet mee.'

'...'

'Nee, echt niet.'

'...'

'Vijf procent. Krijgen anderen ook.'

'...!'

'Hooguit twee? Nee hoor, vijf. Graag of niet.'

'...!'

'Oké, drie.'

'... ... ...'

'Volgende week zaterdag? Halftwee? Lijkt me wel. Ik zal het ze zeggen. Bij ons in de oefenruimte, dus. Meeuwederbaan...'

'...'

'Oh, dat weet je. Goed, tot dan.'

'...'

Zo.
Paul was niet ontevreden.
Normaal was hij niet zo'n onderhandelaar. Meestal vond hij het al-

gauw goed genoeg. Maar via de telefoon was het net of je iemand anders kon spelen. Zakenman Dupont of zo. In het echt was hij waarschijnlijk finaal door die ouwe rocker ingepakt.

Wat ook hielp was de bluesharp, die hij de hele tijd had vastgehouden. En de tekst op zijn T-shirt natuurlijk.

Weer moest Paul lachen.

's Avonds om halfacht belde Woppie.

Woppie had een café in de Bleekerstraat. Hij was een broer van Vincent Quadvlieg, de buurman van de familie Dupont.

'Hoi, Paul. Je moet me helpen. We hebben een feestje vanavond, maar de band heeft afgezegd. Hebben jullie repertoire voor een uur of twee?'

'Een uur.'

'Dan speel je alles twee keer.'

'Ik weet niet of de anderen kunnen.'

'Dan kom je maar met zijn tweeën. Gratis consumpties en vijftig euro de man. Oké?'

Paul voelde zijn hartslag in zijn keel. Hij merkte dat hij sneller ademde dan nodig was.

'Oké.'

'Om halfelf gaan jullie van start. Tot straks.'

Paul legde de telefoon neer en greep naar de bluesharp. Zijn hoofd zoemde. Net geen koppijn. Het leek of zijn hersens ervandoor gingen.

Hij had nog drie uur. Hoe moesten ze dat redden? Hij moest de boys optrommelen, apparatuur en vervoer regelen, de spullen opzetten en inregelen en afspreken wat ze zouden spelen. Een geschikt T-shirt uitzoeken en iets bedenken om dat belachelijke verband op zijn oor weg te moffelen.

Maar Paul twijfelde niet. Dit was leuk. Dit moest.

Het lukte allemaal maar net.

Flip lag te slapen toen Paul belde, Beertje zat met een vriend in een cafetaria en Willem prutste met twee gebroken snaren. Verder was Paul een halfuur bezig geweest een wit verband om zijn hoofd te zwachtelen. Stond tamelijk stoer. Maar om halfelf stonden ze op het van pallets gemaakte podium in WOPPIE'S PLEES.

Ze speelden een uur de sterren van de hemel en toen waren hun nummers op. Flip, die zich wonderlijk rustig had gedragen, vond dat ze wel een pilsje hadden verdiend en bestelde er een stuk of acht.

'Oh, er zijn er vier over,' zei hij. 'Ik heb me verteld.' Hij mompelde nog iets als 'voor de beleefdheid' en 'gastheer niet voor het hoofd stoten' en werkte het zaakje in een paar minuten weg.

'Goed gedrumd, Flip,' zei Paul. 'Ik ben blij dat je je kop erbij hebt vanavond. Ben je van de snoepjes af?'

'Ha ha! Nog niet helemaal. Maar ik heb nu een geel dingetje dat ervoor zorgt dat het groene dingetje controleert dat het paarse gevalletje zich een beetje gedeisd houdt. Zoiets, maar het kan ook andersom zijn.'

'Misschien kun je ook wel drummen zonder gevalletjes.'

'Wie weet. Misschien kan ik ook wel piano spelen.'

'Kun je piano spelen?'

'Geen idee. Nooit geprobeerd.'

Het tweede uur ging het nog beter.

De feestgangers, die er nu echt zin in kregen en vanwege een overdosis breezers en bier om elke scheet stonden te juichen, konden er niet genoeg van krijgen.

En dan moest je net Flip hebben. Die hield ook wel van een feestje. Tijdens de toegift, *Under Cover* natuurlijk, trok hij zijn T-shirt uit. Het publiek werd gek.

'WE WANT MORE!'

Zijn spijkerbroek.

'WE WANT MORE!'

'Zo kan-ie wel, Flip,' riep Paul.

'WE WANT MORE!' De feestvierders waren nu niet meer te houden. Er waren er inmiddels tien die het voorbeeld van Flip hadden gevolgd.

Flip stond daar in zijn boxershort. Rood met gele balletjes. Er werd gejoeld. Hij stak zijn duimen achter het elastiek en lang-zaam, heel langzaam, bewegend op het ritme van Beertjes bas-gitaar, trok hij de flodderbroek omlaag.

'Verpest het nou niet!' riep Paul.

Vrolijk zwaaide Flip terug. Hij danste terwijl hij de boxershort om-laagschoof.

Hij had er nog een aan.

En zo werd het optreden een groot succes.

Woppie gaf ieder vijftig euro, plus een fooi van in totaal twintig consumptiebonnen. Flip slaagde er binnen een halfuur in om de helft van de bonus in zijn blote pens te gieten.

Paul was een beetje doof toen hij buiten kwam. Niet van het la-waai, maar omdat er niets meer bij kon in zijn hoofd. Het was goed geweest. Prachtig zelfs. Hij zat propvol met rust, vol met yes-gevoel. Dit was het. Zo moest het.

De spullen zouden ze morgen ophalen.

Paul pakte zijn fiets, deed hem van het slot en wilde opstappen.

Mooi niet.

Hij verstijfde toen hij de straat in keek.

Twintig meter verder.

Twintig meter verder stond Kim.

Haar leren broek glom. Ze had haar handen in haar zakken. En ze keek. Paul kon niet zien of ze lachte. Wel zag hij haar tanden. Ze bewoog haar hoofd. Ze knikte. Nee, ze schudde van nee. Of... ja toch, ze knikte.

Paul wilde niet langer kijken. Hij sprong op zijn fiets en scheurde weg. Linksaf.

De verkeerde kant op. Hij maakte een omweg van een kwartier.

Vlak voor Westwolde moest hij overgeven. Hij wist niet of het van die paar biertjes kwam of van iets anders.

Nee, dat klopte niet.

Hij wist donders goed waar het van kwam.

12

Het Werkmancollege is een mooie oude school aan een smalle straat in het centrum. Er zijn lekkere winkeltjes om de hoek voor als het pauze is. Af en toe komt er een ambulance voorbij met loeiende sirene. Het Academisch Ziekenhuis ligt honderd meter verderop.

Zondag had Paul verder aan zijn tekst geschreven en dat kwam hem vandaag van pas.

Dinsdagochtend, halfnegen: Nederlands.

Meneer de Reus deed zijn naam geen eer aan. Hij was een klein mager mannetje met zwart haar en een scheiding in het midden. Hij droeg altijd een geruite trui met een V-hals. Meestal iets met bruin. Alles was klein aan de man, behalve zijn neus. Die stak onder zijn bril vandaan bijna recht vooruit. Het puntje wees naar beneden. Vanwege dit enorme lichaamsdeel werd hij door de leerlingen natuurlijk niet De Reus genoemd.

Paul kon het niet met de docent vinden. Het was nooit goed wat hij deed. Had hij een uitleg gevonden voor een of andere duistere dichtregel, dan was het: 'Nou neu.' Het was altijd 'Nou neu.' En had Paul er met de pet naar gegooid, bijvoorbeeld met een opstel, dan vond De Reus het prachtig. Verkeerde man, vond Paul.

Vandaag moesten ze hun huiswerk inleveren. Iedereen had een gedicht moeten schrijven. Paul had zijn songtekst meegenomen.

'Meneer Dupont, u oogt nogal imposant met uw witte verband. Komt u maar naar voren. Met uw poëem graag.'

Paul stond op en liep naar het bord.

'Laat maar horen.'

Paul kuchte en zocht het eerste couplet.

'Eén been op de grond
Ik wankel even...'

'Stop!' riep meneer de Reus. 'Het ritme deugt niet. "Grond" heeft één lettergreep, "even" twee. Dat zouden we niet doen, hadden we afgesproken. Ga verder.'
'Je ogen, je mond
Ik wankel...'
'Ho! Wat is er met die ogen? En met die mond? Als je erover begint, moet je er ook iets over zeggen. Dit klinkt misschien poëtisch, maar het is het niet. Dit is poëzie van de gehaktballen, gebakken aardappels en frikandellen. Ga verder.'
'Maar vallen kan ik niet.'
'Hou maar op. Er klopt geen donder van. Als je wankelt, en dat zei je net, kun je juist wél vallen. Dat is het centrale kenmerk van wankelen. Anders is het geen wankelen, maar overhellen. Ga maar weer zitten. Henriëtte, wil jij naar voren komen? Van jou weet ik tenminste zeker dat je iets goeds hebt geschreven.'
Paul stopte de papieren in zijn tas. Hij was tevreden. Als De Reus zijn tekst mooi had gevonden, had hij overnieuw moeten beginnen.

De rest van de week stond in het teken van zijn andere huiswerk en van zijn website. Vooral van zijn website.
Pas vrijdagavond zouden de boys weer repeteren. Vooral *Under Cover*, omdat John van Hulst er een dag later aan wilde sleutelen. Hoe beter het klonk, hoe minder hij het nummer kon verzieken, had Paul bedacht.
Het was wel een lekker weekje, vond hij. Rustig. Geen gezeur aan zijn kop. Hooguit wat pesterijtjes op school over zijn oor, niks om opgewonden van te raken. Zijn moeder was erg aardig, voor haar doen tenminste. Twee keer vroeg ze wat hij wilde eten. Dat deed ze anders hooguit een keer per jaar. Dat ze uiteindelijk geen tijd had om hachee te maken en de gevraagde friet had vervangen door krielaardappeltjes, ach. Je kunt niet alles hebben.
'Oh ja, er heeft iemand voor je gebeld,' zei ze op woensdagmiddag.
'Wie?'
'Ik heb haar naam niet verstaan.'
'Waarvoor belde ze?'

'Ze kreeg nog iets van je, of zo. Ze zou nog wel eens bellen. Aardig meisje, volgens mij.'

Een lekker weekje.
Tot vrijdagavond.
Het repeteren was goed gegaan. Beertje speelde de sterren van de hemel en Flip had een uur lang de slappe lach.
'Wat is er toch?' vroeg Paul.
'Ik kom niet meer bij,' hikte Flip.
'Wat is er dan?'
'Je T-shirt!'
'Mijn T-shirt?' vroeg Paul. 'Wat is er met mijn T-shirt?'
'Nou, kijk dan!'
Paul keek. 'Ik zie niks. Er staat niks op.'
'Precies! Wat een vondst! Om te janken!' Flip greep naar zijn maag. Hij lag dubbel.
Verder ging alles goed. Tot Paul thuiskwam, zijn pc aanzette en keek of er mail was.
Ze liet hem niet met rust.
Zou hij kijken? Het zaakje direct wegmieteren?
Hij keek.
Stom, stom.

Lieve Paul,
Hoe is het met je?
Met mij gaat het goed.
Tenminste, nu even.
Gisteren liep ik op straat en kwam langs het station. Ik dacht: als Paul niet ontdekt hoeveel ik voor hem beteken, dan heeft mijn leven geen zin meer. Het station, de trein, begrijp je?
Maar nu heb ik weer een beetje vertrouwen. Ik sprak je moeder. Een lieve vrouw.
Mail me alsjeblieft.
Je wilt niet dat ik weer bij dat station kom, toch?
Jeweetwel

Fuck! Laat me met rust!

Ik kieper het weg en zet het van me af, dacht Paul. Ik heb andere dingen aan mijn hoofd. Het is uit. Als ze dat niet kan accepteren, is dat háár probleem. Weg ermee.

Maar zo werkte het niet. Niks weg ermee. Het bleef in zijn kop doorzeuren. Het was misschien wel háár probleem, maar ze deed iets heel lulligs met hem. Hoe, dat had hij niet direct door. Ze deed alsof het ook zijn probleem was.

Hij las de brief nog eens en begreep het.

Ze dreigde. Als hij niet dit... dan zou ze misschien... Ze wilde hem onder druk zetten. Chantage.

'Bedenk dat het jouw schuld is, als ik...' Dat zei ze.

Vals, dat was het. Een valse truc. Maar wel een die werkte. Stel dat ze... Dan ben je er schuldig aan. Omdat je ervan wist en er niks tegen gedaan hebt.

Nee! Ik trap er niet in!

Maar hoe hard hij ook riep, het zeurde door.

Ze speelde vals.

Er zat maar één ding op.

Terugmailen. Voor de laatste keer. Zeggen dat haar truc niet werkte. En dan maar hopen dat hij gelijk kreeg.

Kim,
Ophouden.
Het helpt niet als je dreigt.
Leg je erbij neer.
Voor de laatste keer: laat me met rust.
Paul

Dat luchtte op.

Niet helemaal, maar genoeg om Kim ergens in zijn achterhoofd achter een muur te kunnen verstoppen. En voortaan zou haar post ongelezen in de prullenmand worden geklikt.

Gek genoeg sliep hij die nacht goed.

'Zo, mannen. Laten we eens zien of we van dat nummertje van jullie, The Cover, iets moois kunnen maken.' John van Hulst, producer van Jupiter Productions, gooide zijn leren petje in een stoel en greep in de binnenzak van zijn bodywarmer. Hij nam een slok uit een klein flesje en hoestte even.

'Under Cover,' zei Willem.

'Dat zei ik, ja. Aan de slag. Jullie spelen het nummer eerst helemaal. Daarna nog een keer en dan zal ik jullie telkens onderbreken en vertellen wat er moet veranderen. Want er mankeert natuurlijk van alles aan. Let's go.'

'Wacht even,' zei Paul. 'Je doet of het rommel is. Waarom ben je hier als je het eigenlijk niks vindt?'

'Niks, niks, dat zei ik niet. Als jullie er hard aan werken, kan het een redelijk goed nummer worden. Laten we beginnen.'

'Van Hulst, ik heb het idee...' Flip was gaan staan.

'Ik ook. Begin maar met de intro.'

'Wil je alsjeblieft even luisteren, als ik wat zeg?' Flip schoot een groen dingetje naar binnen. 'Mijn vader, waarvoor ik heel veel respect heb, mijn vader, die zeven jaar op sterven heeft gelegen en daarvan zo is uitgerust dat hij nu weer tennist, mijn vader zei altijd: als ik spreek, heb jij even pauze. Oké?'

John van Hulst nam nog een slokje. Hij keek naar de tattoo op zijn hand.

'Ik heb weinig tijd. We zijn hier om te werken. Wat wou je zeggen?'

'Dat ben ik even kwijt,' zei Flip. 'Maar er is geen speld tussen te krijgen, waar of niet.'

'Ik stel voor dat we gaan spelen,' zei Paul.

Ze speelden Under Cover. En nog een keer.

'Stop!' riep Van Hulst na het eerste couplet. 'Beertje, de bas doet pas mee in het tweede couplet. En niet zo rammen op dat ding. Willem, beginnen met tokkelen, later pas een echte slaggitaar. Flip, ik wil dit nummer geen, ik herhaal: geen bekken horen. Begrepen? En Paul, je kunt best een stukkie hoger zingen. We proberen een andere sleutel. We doen het in C. Opnieuw!'

Zo werkten ze het hele nummer door.

De veranderingen die John eiste, waren behoorlijk ingrijpend, maar Paul moest toegeven dat het nummer er niet op achteruitging.

Het werd beter. Eerlijk gezegd veel beter.

Aan het eind van de avond was alles op de schop gegaan en waren ze nog lang niet klaar. De zang, de solo's, de koortjes, er moest nog veel worden gerepeteerd.

'Goed, jongens, we stoppen ermee voor vandaag. Het is nog steeds een zootje, maar ik heb er wel enig vertrouwen in. Volgende week verder. Zelfde tijd. Ik ga ervandoor.'

En hij was ervandoor.

'Oef,' zei Willem.

'Pff,' zei Beertje.

'Sodeju,' zei Paul.

Flip zat op zijn bekken te hengsten. 'I'm not the one you see,' schreeuwde hij. 'Touch me, hear me, feel me, bami!'

'Hou je kop eens even,' riep Paul. 'En laat die deksel met rust. Wat vinden jullie? Wordt het nummer beter van Johns aanwijzingen of wordt het commerciële worst?'

'Eh... alletwee,' zei Willem.

'Vind ik ook,' zei Beertje.

'En jij, Flip?'

'Ik mis mijn bekken. Ik mag niet op mijn bekken slaan. Mijn bekken en ik, de titel van mijn volgende boek. Kom je aan mijn bekken dan kom je...'

'Dat weet ik, maar wat vind jij ervan?' vroeg Paul.

'Ik mag mijn bekken niet aaien van die man, niet liefhebben, niet afranselen.'

'Ja, dat had hij goed gezien,' zei Beertje.

'Hou je kop, Beertje. Maar alles bij elkaar?'

Flip mikte er een stuk of drie in zijn mond. 'Commercieel. Maar wel lékker commercieel. Niks mis mee.'

'Daar ben ik het mee eens. We gaan er dus mee door. Oké?'

'Mm,' zei Willem. 'Volgens mij hebben we wat te vieren. Acht uur vanavond in *De Wortel*? Volgens mij is dat de enige tent waar meer meisjes zitten dan jongens.'

'Dat zal jou niet helpen,' zei Flip.

'Of anders de *Long John*,' stelde Beertje voor, die een overschot aan meisjes geen aanbeveling vond.

'Het *Bluescafé*,' zei Flip. 'Daar is het zo donker, dat het allemaal niet uitmaakt.'

Ze waren er snel uit.

Ze begonnen die avond in de *Long John* en eindigden via *De Wortel* in het *Bluescafé*.

En inderdaad maakte het daar allemaal niet meer uit.

Paul was om twee uur thuis en dook direct zijn nest in.

Hij had bier gedronken, wat hij niet vaak deed. Hij was niet veel gewend. Dat merkte hij pas in bed.

Toen hij zijn ogen dichtdeed, begon het bed langzaam te kantelen. Tegelijk leek het of zijn benen opstegen. Ergens in zijn keel en zijn maag ging er iets mis. Toen hij zijn ogen opendeed, kwam het bed tot rust. Ogen weer dicht. Nu begon de hele slaapkamer te schommelen en te draaien. Zijn buik zat opeens vol, heel vol. Hij kreeg kleine krampen in zijn keel. Hij kokhalsde.

Nog net op tijd was Paul bij de wc.

Na een kwartier had hij de kracht om naar zijn bed terug te strompelen. Hij liet zich vallen en sliep onmiddellijk in.

De gordijnen waren open. De lamp was nog aan.

Buiten, aan de overkant, glinsterden de natte bladeren in het vleugje licht dat ze opvingen. Er stond iemand te schuilen onder de boom.

Dat was niet zo gek, want het regende.

Nou ja, regende, het miezerde.

Een paar spatjes, meer was het eigenlijk niet.

13

Een paar weken gingen voorbij, waarin voor Paul de muziek centraal stond.

Hij had van John tips gekregen om zijn mondharmonicasolo aan te passen. Hij moest meer de muziek volgen en de *tioe tu tu tioe* beperken. Dat was wel even slikken. Maar als het hierbij bleef, was ermee te leven.

Kim hield zich gelukkig gedeisd. Hij had haar niet meer gezien. Dat wil zeggen, twee keer leek het of zij het was die honderd meter verderop juist de hoek omsloeg. Maar hij realiseerde zich dat hij spoken zag. Het zat in zijn kop.

Inmiddels was het verband om zijn oor verwijderd. Er zat een korstje op. Zo'n korstje waar je dagen aan kunt peuteren. Gedachteloos halflosse stukjes helemaal lospulken. Gewoon zo'n lekker korstje.

Paul was wel even geschrokken. Een partje van de omkrullende bovenkant was weg. Het voelde raar. Maar het wende snel. En een voordeel was dat hij het zelf niet zag.

Hij mailde veel. Met de boys, met andere vrienden, soms met John, een enkele keer met zijn vader op de universiteit en met nog een paar anderen.

Dus was het helemaal niet zo vreemd dat hij een e-mailtje van een zekere P. de Lange opende. Een moment later wist hij dat hij post van P. de Lange voortaan onmiddellijk ongelezen moest wegmieteren.

Maar het was nu te laat. Hij kende P. de Lange.

Lieve lieve Paul,
Het spijt me zo.
Je mag niet boos zijn, je kunt niet boos zijn! Ik moest het doen, dat begrijp je toch? Ik kon je toch niet zomaar laten gaan?

Natuurlijk begrijp je me. Jij denkt van niet, maar ik weet wel beter.
Bel me.
Als je morgen niet belt, weet ik niet of ik er nog wel ben. Dat wil je toch niet
op je geweten hebben? Nou dan.
Ik hou van je.
Jeweetwel

Ja, dat wist Paul wel.
Sodemieter toch op! Ga een ander lastigvallen met je 'het spijt me zo!' Het lukt je niet meer! Ik laat me geen schuldgevoel meer aanpraten! Je gaat je gang maar! Schiet op, naar het station!
Maar dat meende hij natuurlijk niet.
Paul was kwaad, maar zijn verliefdheid was inmiddels zo vernield en vergruisd, dat de boosheid snel wegzakte en overging in een chagrijnig gevoel met veel schouderophalen. Bekijk het even, zeg!
Ja, de verliefdheid was compleet verdwenen, zijn hele gevoel voor haar was opgelost.
Maar er was iets voor in de plaats gekomen. Iets onbestemds, iets wat hij niet goed kon benoemen. Een naar, knagend, vretend rotgevoel dat nooit helemaal weg was. Iets dat hem deed huiveren.
Angst.

'Deur dicht!' schreeuwde Flip. Niet dat hij boos was, hij zat te drummen met een koptelefoon op.
Paul liep de oefenruimte binnen, trok zijn jack uit en gaf Flip een klap op zijn rug.
'Ha, goddelijke zanger, ben je er eindelijk?' riep Flip.
'Hoezo eindelijk? We hadden om halfacht afgesproken. Het is vijf over halfacht.'
'Op mijn klok is het acht uur.'
'Ja, omdat je hem altijd vooruitzet om niet te laat te komen.'
'Dat is mijn zaak, vriend. Daar heb jij verder niks mee te maken.'
'Ik was dus niet te laat.'
'Onwaarschijnlijk, wat kun jij drammen. Nooit eens zeggen van "sorry" of zo.'

'Laat maar zitten.'

'En dan laf "laat maar zitten" zeggen. Niet te geloven. Heb je blikjes bier meegenomen? Ik heb een tong als leer. Volgens mij komen er schilfertjes vanaf.'

'Misschien staat er nog wat in de kast,' zei Paul. Hij voelde even aan zijn oor. Het zat weer strak in het vel, hoewel de rand wat rafelig was.

'Mag ik even voorstellen?' zei Willem. 'Dit is mijn zus. Berber. Ze wilde een keer komen luisteren. Leek me geen probleem.'

Nu pas zag Paul dat er een meisje links achter in de oefenruimte stond. Ze was niet groot. Beetje mager. Ze had kort donker haar en een vriendelijk gezicht. Ze lachte een beetje. Geen verlegen lach. Je kon zien dat ze zich op haar gemak voelde.

'Dag Berber,' zei Paul. 'Ik ben Paul.'

'Hallo. Dus jij speelt bas.'

'Nee, nee, mondharmonica.'

'Trap er niet in, Paul,' zei Willem. 'Ze weet precies wie wat doet.'

Paul keek Berber aan en lachte. 'Ben jij er zo een.'

'Ja, ik ben er zo een. Jij ook, trouwens. Zag ik aan je T-shirt.'

Zijn T-shirt? Hij had er een van gisteren aan, maar wat stond erop? Hij keek omlaag. Oh, dat.

'Wat bedoel je daarmee?' vroeg Berber, en ze wees naar zijn borst. 'Wat is *WIABROLOF*?'

'Dat is een woord waarvan iedereen zich afvraagt wat het betekent,' zei Paul.

'Eén nul,' zei Berber.

'Zijn jullie klaar met je geklets?' zei Beertje. 'Dat gesoft doe je maar in je vrije tijd.'

Geen slechte tip, vond Paul. Hij lachte. En had vreselijk veel zin om op zijn bluesharp te spelen.

Om tien uur zei Flip dat hij wilde stoppen. Hij had om halfelf een belangrijke afspraak met een snoephandelaar, zei hij.

'Hou toch eens op met die rommel,' zei Willem.

'A: het is geen rommel. B: en als het rommel is, dan is het tenminste wel dure rommel. En c: ik voel me eh... vrij goed.'

'Je voelt je misschien goed, maar je bent er knettergek van geworden.'
'Oh ja? Ik was altijd al een beetje anders, zei mijn moeder. En wie
zegt dat ik niet nog veel maffer was geweest als ik niet af en toe een
snoepje had genomen? Nou?'
'Dat weten we niet, nee. Jij ook niet. We kennen jou niet zonder.
Jijzelf trouwens ook niet,' zei Beertje.
'En dat wou ik graag zo houden,' zei Flip en hij schoot er een naar
binnen. 'Waar bemoeien jullie je mee.'
'Het is goed bedoeld, Flip,' zei Paul. 'We willen je niet kwijt. En
zoveel goeie drummers lopen er niet rond.'
'Hartverwarmend. Jongens, ik hou ook van jullie. Tabee.' Weg was
Flip.
Beertje en Willem waren aan het rommelen met hun apparatuur.
Berber leunde met een schouder tegen de achtermuur. Ze keek
naar Pauls mondharmonica, die op een tafeltje lag.
'Eh... Berber?' vroeg Paul.
'Ja?'
'Er is kermis op de Ossenmarkt. Zin om nog even te gaan kijken?'
Ze keek Paul aan. Toen even naar Willem. En weer naar Paul. 'Lijkt
me wel leuk.'
'Kun je schieten?'
'Ja, maar ik raak nooit iets.'
'Zullen we gaan? Willem, Beer, tot de volgende keer.'
Inclusief een tussenstop bij de Snelsnack in de Oosterstraat waren
ze binnen een kwartier bij de eerste kermistent. *Oma & Co* stond
erop, in gouden krullen. Ze verkochten suikerspinnen.
'Jij een?' vroeg Paul.
'Nee. Gaat niet samen met de bamischijf.'
'Wat wil je doen?'
'De achtbaan?'
'Alsjeblieft niet. Gaat ook niet samen met de bamischijf,' zei Paul.
'Gelukkig, jij ook niet. Eigenlijk hoef ik nergens in. Beetje rondlo-
pen, beetje kijken, dat vind ik leuk.'
Paul wist niet wat hem overkwam. Dit was zo relaxed, zo lekker,
zo van 'niks hoeft, alles mag'. Berber liep, een beetje nonchalant,

een beetje sloffend, naast hem. Hij keek even. Ze was een kop kleiner dan hij en haar mondhoeken wezen een beetje naar boven. De lachstand. Het zou hem niet verbazen als ze zo was geboren. Ze had haar handen in de zakken van een wijde skatebroek. Eigenlijk hoorde er een pet bij, achterstevoren, bedacht hij.

'Waarom heb je geen pet op?' vroeg Paul. Shit, wat een stomme vraag.

'Een pet? Nee, dank je. Dan ben ik gelijk zo'n skatetype.'

'En die broek dan?'

'Die zit lekker. Niet goed?'

Natuurlijk was het goed. Het was heel goed.

'Paul?'

'Ja?'

'Ik wil wel ergens in.'

'Waarin dan?'

'Daar. "Terug Van Weggeweest: Het Wondertheater". De vrouw met de vier borsten, dat lijkt me wel wat.'

'Ze heeft ook een baard, staat er.'

'Let's go.'

Later schoot Paul een tulp voor Berber, een slap plastic ding van niks, maar dat maakte niet uit. Berber schoot ook, raakte niemand en kreeg voor de moeite een lullig sleutelhangertje.

Toen de kermis bijna sloot, kregen ze nog de slappe lach van het zwetsverhaal van *Mamaia de Waarzegster*. Berber zou bankdirecteur worden en vier kinderen krijgen. Paul zou op zijn drieëntachtigste trouwen met een Poolse danseres, maar na een paar jaar scheiden. Toen ze de tent uitkwamen, merkte Paul dat hij de hand van Berber vasthield. Of zij die van hem.

Ze wandelden. Langs de patriciërshuizen aan de Ossenmarkt, langs de gesloten oliebollentent, een straat in, zomaar een straat. Het maakte niet uit. Ze wandelden.

Een kwartier, linksaf, dan rechts, rechtdoor, als Berber trok: linksaf, als Paul kneep de andere kant op, nergens heen.

'Paul?'

'Mm?'

'Is er iets?'

'Hoezo?'

Er was niks. Hij voelde zich beter dan hij zich in weken had gevoeld.

'Je bent een beetje schichtig. Ben je dat altijd?'

Schichtig?

'Niet dat ik weet. Wat bedoel je?'

'Je kijkt soms achterom. Een steeg in. Naar een boom. Alsof je... ik weet het niet.'

Shit! Was dat zo?

'Alsof er...' zei Berber. Ze haalde haar schouders op.

Nu ze dat zo zei... Ja, soms deed zijn hoofd iets uit zichzelf, waar hij niet bij was. Even kijken. Even kijken wat er achter hem gebeurde. In die straat rechts, zag hij daar iemand? Hij had het niet eens meer door. Het ging automatisch. Onbewust.

Een rotgevoel kwam op.

Het zat er dus nog steeds.

Zij zat er nog steeds.

Paul schudde met zijn hoofd. Misschien kon hij Kim eruit schudden.

'Paul? Ben je er nog?' Berber kneep in zijn hand.

'Ja, ja, ik ben er nog.' Ik ben weer terug, had hij beter kunnen zeggen.

'Er is iets,' zei Berber.

Ze had hem feilloos door. En het voelde goed. Paul wílde dat ze hem doorhad. Berber was veilig. Rustig, bereikbaar. Ze had een lieve hand. Hij haalde diep adem, keek naar de wolken en moest, belachelijk, zijn best doen om niet met zijn ogen te gaan knipperen. Shit! Hij knipperde. En natuurlijk zag ze het. Nou ja, dan zag ze het maar. Het gaf niet. Idioot, maar het gaf niet, het mocht, het was goed.

'Wil je het me vertellen?' vroeg Berber.

En Paul begon te praten.

Alles wilde hij kwijt. Hij had het tot nu toe allemaal voor zichzelf gehouden, maar nu knalde het hele verhaal er in een keer uit. Wat hij gevoeld had voor Kim, de rare briefjes, haar bizarre gedrag, zijn oor, Kims dreigementen en chantage, alles.

'Pff. Dat is nogal wat. Die spoort niet helemaal, volgens mij,' zei Berber zachtjes. Ze kneep in zijn hand.
'Nee,' zei Paul. Hij wreef in zijn ogen.
'Maar het is nu voorbij, of niet?'
'Ik hoop het.'
'Je weet het niet zeker?'
'Ik heb haar een paar keer gezegd dat het voorbij is, dat ze moet ophouden. Op een nogal botte manier.'
'En?
'Ik weet niet zeker of ze het accepteert.'
'Mm. Ze zal wel moeten.'
'Ze is gek, Berber.'
'Dat is dan haar probleem,' zei Berber opgewekt.
'Weet je het zeker? Ze is onvoorspelbaar.'
'Ze heeft je aardig te grazen.' Berber gaf een rukje aan zijn hand.
'Hé, je deed het weer.'
'Wat?'
'Achteromkijken.'
'Een paar keer leek het of ze me volgde. Ze dook dan snel een hoek om. Tenminste, ik dacht dat zij het was. Ik weet het niet zeker.'
'Je ziet spoken.'
'Dat zei ik ook tegen mezelf. Het hielp niet echt.'
'Zie je haar nu?'
'Nee.'
'Laten we een ijsje gaan eten bij Talamini.'
'Goed plan,' zei Paul. Hij voelde zich al beter.
In straf tempo liepen ze via de Torenstraat naar de ijssalon.
Paul keek niet meer schichtig om zich heen.
Hij keek niet meer achterom.
En dus zag hij het meisje niet, dat honderd meter achter hen liep.
Ze had een kort leren jasje aan.

14

Het was maar een kleine zaal, veel meer dan honderd mensen konden er niet in. De ruimte was dan misschien niet groot, maar de faam van de zaak was dat wel. Het bruine café in Westwolde trok klanten van heinde en verre.

Druk was het nog niet. Kroegbaas Gerrit gooide wat schone asbakken op de tafels en regelde een frikandel voor Beertje.

Alweer een optreden, het begon nu echt te lopen.

Paul klopte op de microfoon. Die deed niks. Even aan dat stekkertje morrelen. 'One two three,' riep hij. Het ding werkte.

Berber zat aan een tafeltje verderop.

Paul kende haar nu twee weken. Ze waren een paar keer gaan stappen en via een café of een discotheek telkens bij Talamini uitgekomen. Berber was niet meer bij de repetities geweest, wat Paul jammer vond. 'Ik wil je niet afleiden,' had ze gezegd. Zat ook wat in. Het was gezellig, rustig en een beetje spannend. Niet adembenemend spannend, gelukkig niet. Dat was het laatste waar hij behoefte aan had.

Berber was lief. Kalm. Paul kon het niet goed benoemen. Alsof het bij haar allemaal in evenwicht was, zoiets. Het voelde veilig. Ze was niet zo'n prater, meer een luisteraar.

Ze hadden nog niet gevreeën.

Het hoefde niet.

Nog niet.

Paul had geen haast. Berber kennelijk ook niet.

'Hé, zanger!' Flip was bezig zijn drumstel in elkaar te zetten.

'Yeah man, tell me all about it,' zong Paul, die al helemaal in de stemming was.

'Ik heb een naam voor de band. We zijn eruit.'

'Mooi. Welke naam?'

Flip wees naar zijn rug.

'Ja?' vroeg Paul.

'Lees dan.'

ZONDER KEES stond op Flips T-shirt.

'Zonder Kees,' zei Paul. 'Ja ja. Wat nou zonder Kees.'

'Fantastische naam, of niet. Mysterieus. Niemand weet wie Kees is.'

'Wie is Kees dan?'

'Ja, hoe weet ik dat nou? Heb je stront in je kop of zo? Hoe zou ik Kees moeten kennen? Staat er Kees Jansen of zo, of Kees van Dam? Ik heb geen flauw benul wie Kees is, dombo. Maar het klopt voor honderd procent. Willem, Beertje, jij en ik. Geen Kees. Gisteren schoot het ineens als een raket door mijn kop. Geen Kees, begrijp je?' Flip liet een roze gevalletje in zijn mond vallen.

'Dus Zonder Frans had ook gekund?'

Flip keek Paul wat wazig aan. Hij draaide zich om.

'Lul,' mompelde hij.

Om negen uur begonnen ze met *Mystery*. Deed het altijd goed als opwarmer. Zijn solo op de bluesharp, een lekker snerpend *tioe tu tia*, knalde er goed in. Daarna natuurlijk *Under Cover*, op de nieuwe manier.

Dit was het. Dit was wat Paul wilde. Lekker muziek maken, zingen met de ogen dicht, samen iets moois doen. Geen ruimte voor bijgedachten, angsten, school of moeders.

Muziek.

In de pauze nam Flip twee bier, Beertje één bier, Willem een sinas en Paul koffie.

ZONDER KEES.

Zo gek was het eigenlijk niet. Eerlijk gezegd was het wel een mooie maffe naam voor de groep. Ze moesten het er maar eens over hebben.

Om halfelf gingen ze weer van start. Met een ruig, hard nummer, *Hot-hearted Woman*.

En om twee over halfelf was het nummer al afgelopen.

Vier politiemannen stormden het zaaltje binnen en renden naar het podium. Paul schrok zich rot, het leek of ze zich op hem wilden storten. Maar ze struinden hem voorbij.

Het ging om Flip.

Twee agenten grepen hem vast, trokken hem overeind, draaiden zijn armen achter zijn rug en klikten boeien om zijn polsen. Even later trokken ze hem mee over de dansvloer naar de deur.

Flip spartelde flink tegen. 'Stelletje fascisten! Zwarte knarren! Mijn schoenen! Waar zijn mijn schoenen! Gerrit! Een biertje voor de heren! Au! Mag ik even naar de wc, inspecteur! Paul, help! Schorem, laat me los! Luister! Ik weet een mop! Klojo's! Laat me nou rustig sterven!' Zo ging hij door tot hij de zaal was uitgesleept.

Paul en de anderen keken verbijsterd toe. Uiteindelijk schroefde Paul zijn microfoon op de standaard en liep naar een van de politiemannen. 'Wat is dit? Waar slaat dit op?'

'Reguliere aanhouding, jongeman. Jammer van het optreden, maar we moeten ons werk doen.'

'Maar waarom nemen jullie hem mee?'

'Drugs. Een drugsdelict. Meer kan ik er niet over zeggen. Goedenavond.' Weg waren ze.

Drugs. Ja, dat Flip dingetjes slikte, dat wist hij. Maar opgepakt worden als een mafioso, dat was andere koek.

'Wat doen we nou?' vroeg Beertje.

'Zonder Flip gaat het niet,' zei Willem.

De feestgangers joelden. 'Doorgaan! Doorgaan!'

'Laten we het toch maar proberen,' zei Paul. Hij had er een hard hoofd in. Maar ineens schoot er iets moois door zijn hersens. 'Berber!'

Ze stond op en liep naar Paul.

'Berber, kun jij drummen?'

'Nee, ik heb nog nooit een drumstick aangeraakt.'

'Maakt niet uit. Wil je ons helpen? Alsjeblieft.'

'Als ik dat kan, oké.'

'Luister. Je gaat op het drumstoeltje zitten. Je zet je voet op het pedaal van de base-drum, dat is die grote trommel. Op elke tweede tel... weet je wat de tweede tel is?'

'Ik heb een jaartje muziekles gehad.'

'Op elke tweede tel trap je het pedaal in. Bam! Verder hoef je niets te doen. Ja, een beetje zwaaien met de stokjes. Een keer een ram op die trommel voor je. Verder blijf je overal van af. Zou dat gaan?'

'Klinkt eenvoudig.'

'Is het ook. Doe je het?'

Berber lachte. 'Ik doe het. Maar ik kan niet drummen.'

'Geeft niet. Let maar op.' Paul pakte de microfoon. 'Dames en heren, boys en girls, sorry voor de onderbreking. Flip, onze drummer, werd weggeroepen vanwege privé-omstandigheden. Maar the show must go on. Mag ik een hartelijk gejoel voor Berber! Queen of the base-drum!'

Dat had hij niet hoeven zeggen. Toen Berber naar het drumstel liep, barstte er een geloei los dat een minuut duurde. 'Berber! Berber! Berber!'

Paul liep naar Beertje. 'Draai je volumeknop omhoog, Beer. En zo dadelijk lekker rammen.'

Toen stak hij zijn armen omhoog. Langzaam werd het publiek wat rustiger.

'Het volgende nummer heet Stop my body!'

De lui die vooraan stonden, waren weer niet te houden.

'Body! Body! Berber! Berber!'

Ze speelden nog elf nummers, toen vond Gerrit de cafébaas het welletjes. Hij vreesde voor zijn meubilair.

Berber had precies gedaan wat ze moest. Af en toe een trap op de base-drum en verder was ze niet te horen geweest. Ze was niet zo'n showmeisje, maar die enkele keer dat ze een stokje in de lucht gooide en het zelfs weer opving, ging de zaal uit zijn dak.

Paul wreef zijn mondharmonica droog. Hij dacht even aan Flip. De zak! Tegelijkertijd vond hij het klote voor hem dat hij zo'n mooie avond had moeten missen.

Verder was alles prachtig.

Willem deelde een handtekening uit aan een vrouw met rode krullen en een extreem kort rokje. Beertje was in gesprek met een jongen met trieste ogen. Gerrit zei iets waar Berber om moest lachen. Daarna keek ze naar Paul en zwaaide even.

Ja, alles was prachtig. Twintig, dertig seconden was het prachtig. Toen was het voorbij.

Alsof er een bom ontplofte in Pauls hoofd.

Hij keek en wilde wegkijken, maar het lukte niet.

Achter in de zaal stond Kim.

Ze staarde hem aan. Haar ogen, haar ogen... Ze zei iets met haar ogen.

Het lukte Paul uiteindelijk zich om te draaien. Zijn keel zat dicht, het hamerde in zijn borst. Even rommelen met een snoertje. Klooien met een piefje, een stekkertje.

Maar hij kon het niet laten. Hij keek over zijn schouder.

Ze was verdwenen.

Opgelost.

Er waren wolken die met grote snelheid overwaaiden. Als je ernaar keek, leek het of je zelf bewoog. Er waren sterren. Soms viel er een naar beneden tot hij doofde. Ver weg, waar de lucht en het land in elkaar overgingen, weerlichtte het. Boven de stad, veel dichterbij, weerlichtte het ook. Maar dat kwam door een lasermachine bij een danceparty.

Paul en Berber liepen langs het Boterdiep. Paul had zijn handen in de zakken van zijn spijkerbroek. Hij had zijn kraag omhoog, maar koud was het niet. Berber liep naast hem, hooguit een paar centimeter van hem vandaan. Haar donkere haar warrelde in de wind. In het water tjiekte een meerkoet.

Ze hadden het café via de achterdeur verlaten. Paul had eerst niet weg willen gaan, maar Berber had hem tenslotte meegetroond, via de wc's en de voorraadkamer naar de deur van de schuur, die in vroeger tijden voor de koets van de dominee werd gebruikt.

'Het is rot dat ze er was,' zei Berber, 'maar misschien moet je gewoon je schouders ophalen.'

Paul keek de andere kant uit, naar de lichtjes van een dorp verder-op. Hij zag ze niet.

'Paul? Of niet?'

'Shitmeid! Verknolt de hele avond,' mompelde Paul.

Berber gaf een wrijf over zijn rug. 'Het was een prachtige avond, Paul. Die kan ze niet verknollen.'

'Heeft ze wel gedaan.'

'Ik bedoel, dat mag ze niet. Jij moet haar dat niet toestaan. In je hoofd.'

'Makkelijk gezegd.'

'Dat is ook zo. Sorry.'

'Laat maar. Je hebt wel gelijk. Ik zou erom moeten kunnen lachen. Ze is een triest geval.'

'Misschien, ik weet het niet. Het lijkt er wel op dat haar probleem groter is dan het jouwe.'

Berber kon goed luisteren, maar als ze wat zei, knalde dat er wel in, merkte Paul. Hij hoopte dat ze nog een keer over zijn rug zou wrijven.

'Kijk,' zei Berber. Ze wees naar boven. 'Te laat. Hij is alweer weg.' En ze wreef over zijn rug.

Twee uur later sloop Paul de trap op naar zijn kamer. Er waren nu drie treden die zich niet aan de afspraken hielden, maar alles bleef verder rustig in huis.

Naar bed? Of toch nog even naar de pc? Hij kon het niet laten. Hij zou niet kunnen slapen.

Hij wilde het lekkere gevoel van de laatste paar uur vasthouden. Dus mocht er geen mail zijn. Geen mail van Kim. Hij moest zeker weten dat er geen mail was van Kim.

Paul zette de computer aan en klikte een paar keer met de muis.

Er was geen mail van Kim. Wel van drieëndertig anderen. Onbe-kende anderen.

Kees van Bergen. Lonneke de Jong. Marjan Proust.

Fanmail? Onwaarschijnlijk. Maar helemaal zeker kon hij er niet van zijn.

Paul opende de mail van Marjan Proust.
Nadat hij de eerste regel had gelezen, wist hij dat hij de andere tweeëndertig mailtjes kon doorspoelen.
Ja, het was fanmail. Van een hele grote fan.
Hij sliep pas toen het allang licht was.

15

'Goeiemiddag! Was het leuk?' Met een knipoog legde Pauls vader de krant op de bank.

Paul was net onder de douche vandaan. Een halfuur had hij eronder gestaan, maar het hielp niet. De afgelopen avond had hem door elkaar geschud, in de war gebracht. Het was mooi begonnen, beroerd geëindigd, prachtig opnieuw begonnen en met een kater afgelopen. Hij wist niet hoe hij zich moest voelen. En dat voelde klote.

'Vertel, ik was er graag bij geweest, maar ik had een etentje, zoals je weet. Met Tracy Darwin uit Newcastle, maar dat doet er nu even niet toe. Ging het goed? Hadden jullie succes?'

Paul liep naar de koelkast en pakte de yoghurt. De kick van het spelen en het enthousiasme van het publiek was ver weggezakt. 'Ik geloof het wel. We hebben drie toegiften gespeeld.'

'Zo! Goeiedag, zeg. En hoe was het met het vrouwvolk? De groupies?' Hij knipoogde weer.

'Frank, hou alsjeblieft op met dat ordinaire gepraat!' Pauls moeder had een glas sherry in haar hand. Ze hoestte een diepe en lange hoest. Er klotste wat drank over de rand van haar glas. 'Ik vind het al erg genoeg dat die jongen 's nachts in een café zit. Ga je hem nog een beetje aanmoedigen. Kopje thee, schat?'

'Nee, dank je, mama.'

'Sodeballen, Maartje! Hou toch eens op met dat gezeik! Die knul zit vol met hormonen! Hij heeft de leeftijd! Of niet, Paul? Mag hij alsjeblieft? Ik weet nog precies hoe ik me toen voelde. Sodeballen, dat was niet gering, dat kan ik je wel vertellen!'

'Ja, ja. Dat verhaal ken ik. Heb je al honderd keer verteld.'

'En veel is er niet veranderd in die tussentijd. Maar dat zal jou worst wezen.'

'Oh, gaan we weer op die toer. Jij met je mannelijke hormonen. Alsof dat het belangrijkste is in het leven. Bah, wat een armoe.'
'Nee, dan jij. Neem nog een slokje. Hoest nog even lekker uit. Ben je weer helemaal klaar om straks te golfen.'
'Wat intens gemeen! Je weet dat ik bronchitis heb! En sporten doe ik om fit te blijven. Voor jullie! Werketentje met Tracy Darwin uit Newcastle, het wordt steeds mooier.'
Paul had dit bandje al honderd keer gehoord. Hij stond op en liep de keuken uit. Het geruzie ging gewoon door. Ze merken niet eens dat ik weg ben, bedacht hij.
Het deed hem niet zoveel meer. Ongezellig, maar alles went. Op een gegeven moment weet je niet beter. Dan heb je bedacht wat je moet doen om er geen last van te hebben. Een formule, een methode.
Naar je kamer gaan. Aan je site werken. Mondharmonica spelen. Dat deed Paul dus.
Hij speelde de sterren van de hemel, voelde hij. Want hij dacht aan Berber. Hij speelde warm, zacht, zuiver, rustig, energiek, sterk, evenwichtig, blauwe ogen, donker haar, klein, lief, oh, wat was ze lief.
Hij speelde tot halfdrie. Toen trok hij zijn T-shirt uit.
Er stond I LOVE BERBERS op. Niet geschikt voor de rest van de middag.
Om drie uur had de band een afspraak met John van Hulst, producer van Jupiter. Dat was niet zo bijzonder. Wel dat Kees van Oven, de directeur, erbij zou zijn.
Paul koos een groene met HANDEN OMHOOG! Waar het op sloeg, wist hij niet, maar de directeur waarschijnlijk ook niet, dat scheelde.
Hij liep naar beneden en belde het nummer van Flip. Die nam zelf op. 'Tuurlijk ben ik er,' zei hij opgewekt.
Flip was na een uur losgelaten. Met een waarschuwing. De politie, vertelde Flip, had hem verwisseld met een drugsdealer. 'Ik! Drugsdealer! Om je te benatten! Lachen, joh!' Zo ging het nog even door. Ja, hij had wel eens een snoepje aan een vriend gegeven. Nee, dat

was heel iets anders. Ja, goede vrienden delen dingetjes met elkaar. Nee, daar vraag je geen geld voor. Meestal niet, tenminste.

John van Hulst baalde als een stekker. Hij was nu een paar weken met de jongens aan het werk en er groeide iets moois. Paul was de top, Beertje en Willem beter dan hij had gedacht en Flip, tja Flip. Zo gek als een deur, maar wat een drummer. En geen kwaaie, als je hem beter kende. Het klikte zowaar met die verwende snotneuzen. En nou kwam meneer de directeur op zijn vingers kijken. Waar bemoeide de eikel zich mee? Die vent had misschien verstand van de centen, maar niet van muziek. Hij, John van Hulst, een paar jaar, oké, vijftien jaar geleden een heel grote in de popbusiness, híj had verstand van muziek.
En dit groepje zou zíjn groepje worden. Van Oven kon de pot op.
Hij gooide het portier van zijn Peugeot 404, bouwjaar 1968, veel te hard dicht. De buitenspiegel viel eraf.
'Fuck!'

Kees van Oven parkeerde zijn auto op de stoep voor de ingang van de oefenruimte.
Eigenlijk had hij wel wat beters te doen dan in deze negorij naar een stel pubers te luisteren. Een rustig etentje met Ellen, bijvoorbeeld, de nieuwe zangeres van *Garbage*.
Maar het werk ging voor. Hij moest weten wat die Van Hulst met zijn geld aan het uitvreten was.
Van Hulst.
Hij had er geen cent vertrouwen in. De vent had geen verstand van zaken doen. Leefde in een andere tijd. Fossiel.
Van Oven gooide het portier van zijn Jaguar, bouwjaar 2002, veel te hard dicht. Een slip van zijn lange cameljas bleef zitten tussen het oerdegelijke portier en de donkergroene carrosserie.
'Fuck!'

'Hierlangs, Kees,' zei John van Hulst. Hij kwam net aanlopen toen Van Oven aan zijn jas stond te rukken.

'Rotjas.' Hij had hem los.

Van Hulst opende de deur van de oefenruimte.

'Wat is dit voor een obscure grot? Wat een smerig hol' zei Kees van Oven.

'Jongens, mag ik jullie even voorstellen? Dit is Kees van Oven, directeur van Jupiter Productions. Hij is erg nieuwsgierig naar jullie vorderingen.'

Van Oven wandelde door de oefenruimte, zag de rommel, de lege blikjes, de snoeren, een paar pizzadozen en keek nog chagrijniger dan een minuut eerder.

'Ja, goedemiddag. Zo, dus jullie willen een cd maken. Die zijn er meer. Alleen de heel goeden redden dat. Maar dat wisten jullie al, neem ik aan.'

Flip stond op. Hij had een zonnebril op en een sjekkie in zijn mond. 'Ook goedemiddag, meneer. Dus u bent van Jupiter. U maakt cd's. Ik heb begrepen dat alleen de heel goede productiemaatschappijen het redden. Maar dat wist u natuurlijk ook al.'

'Doe een beetje normaal, Flip,' zei Paul.

'Meneer had misschien iets vriendelijker onze muziektempel binnen kunnen komen.'

'Oké jongens,' zei Van Oven. 'Laten we niet direct ruziemaken. Als we samenwerken, komt er vast iets moois uit.'

'Dat klinkt al heel anders,' zei Flip. Hij stak zijn hand uit. Van Oven greep hem en schudde krachtig.

'Zo, dat is dan opgelost. Zeg, hoe heten jullie eigenlijk?'

'We heten allemaal Willem, behalve Beertje daar, die heet Paul. En ik heet Flip.'

De chagrijnige mond van Van Oven was weer helemaal terug.

'Nou even normaal! Flip is dol op geintjes,' zei Paul.

'Ik niet,' zei Kees van Oven.

'Kom op, mannen. Spelen!' zei John. 'Under Cover. Laat de directeur horen hoe goed jullie zijn.'

En ze speelden.

Tioe ta tu tioe, de solo op de bluesharp, Willems solo en Flips roffel, het ging allemaal goed. Niet geweldig, maar degelijk.

Toen Flips laatste plop op de base-drum was weggevlogen, stond de mond van Kees van Oven heel anders dan ervoor. Hij glimlachte zelfs en schudde een beetje met zijn hoofd. Hij deed ook pfff met zijn lippen.

'En, wat vind je?' vroeg John.

'Hou jij je er even buiten, wil je?' De directeur liep naar Willem, gaf hem een klap op zijn schouder, stak zijn duim op naar Beertje en gaf Paul een hand.

'IJzersterk. Compliment. Goed nummer, goed gespeeld. Ik denk dat we zaken kunnen doen.'

'We zijn nog bezig met de koortjes die...'

'Ja John, fijn zo. Maar ik ben nu even met de jongens in gesprek. Goed. Hier is mijn voorstel. Take it or leave it. Jullie duiken de studio in. Die cd komt er.'

'Gaaf,' zei Beertje.

'Er wordt een clip gemaakt. En we gaan een paar extra nummers ontwikkelen. Alles bij elkaar zijn jullie er zes maanden mee bezig. Dat wil zeggen, alle weekeinden. Jullie worden behoorlijk betaald voor jullie inzet in die periode. En over het percentage van de verkopen worden we het wel eens.'

'Klinkt goed,' zei Paul.

'Akkoord, wat ons betreft,' zei Willem.

'Meneer Kees is een kenner,' zei Flip. Hij schoot een snoepje in zijn mond. 'Vooral van geld verdienen.'

'Hou je muil, Flip,' zei Paul.

'Jullie gaan een mooie tijd tegemoet, jongens. Verpest het niet. Er zijn veel bandjes die in jullie schoenen willen staan.'

'We moeten nog wel werken aan de koortjes, Kees, die...'

'Geen gezeur over details, John. Oh ja, jongens, jullie zijn nu nog beginners, maar ik zal alvast verklappen hoe het er in de echte wereld aan toegaat.'

'Wat bedoelt u?' vroeg Willem.

'Als je geld wilt verdienen in de muziekbusiness, moet je soepel zijn. Bereid zijn je aan te passen.'

'Meneer Kees is een kenner, dat zei ik al,' zei Flip.

Van Oven haalde diep adem en ging voor Flip staan.

'Wat ik bedoel is dit. We maken de cd in de studio. De gitaar en de bas worden gespeeld door muzikanten die we in dienst hebben. Willem en eh... Beertje mogen hier en daar een akkoord meespelen, zodat ze op de hoes vermeld kunnen worden. Paul speelt zijn eigen partij.'

'Mm. Ik weet het niet,' zei Paul. 'En Flip?'

Van Oven keek de drummer aan.

'Als je veel wilt winnen, moet je soms wat inleveren,' zei de directeur. 'Die halve zool van een drummer van jullie komt er bij mij niet in. Het spijt me. Bekijk het maar zo: driekwart van de band gaat het maken. Niet slecht voor een groep die het nog moet leren en bovendien...'

'Flip is een heel beste drummer, Kees. Een betere hebben we niet. Dat kun jij niet beoordelen, maar ik wel,' zei John.

'Nogmaals, wil je je niet met de details bemoeien? Goed zo. Oké, heren, dan zijn we eruit. Goed blijven oefenen en jullie horen binnenkort van ons. Ik moet ervandoor. Gegroet.'

'Nee.' Paul pakte zijn bluesharp en kneep.

Van Oven draaide zich om. 'Wat nee?'

'Nee.'

'Hoorde ik "nee"?'

'Dat klopt, Kees,' zei John van Hulst.

Van Oven keek iedereen een moment aan. Niemand zei iets. Toen liep hij met grote passen naar de deur. 'Dan bekijken jullie het maar. Amateurs!' riep hij. Weg was hij.

Twee minuten was het stil in de oefenruimte.

'Wie wil er een snoepje?' Flip gooide iets geels omhoog en ving het keurig op met zijn mond.

'Kop dicht,' zei Paul. 'Nou, daar zitten we dan. Kunnen we overnieuw beginnen.'

'Niet helemaal,' zei John.

'Wat bedoel je?'

'Van Oven heeft jullie gehoord. Hij vond het prachtig, dat was duidelijk. Hij is een zakenman, hij komt er nog wel op terug. Let maar op. Al was het maar omdat hij bang is dat jullie naar de concurrent lopen.'

'Ik had het gevoel dat je partij voor ons koos, John,' zei Paul. 'Kan dat wel? Van Oven is toch je baas?'

'Kees van Oven is een onbetrouwbare schoft. Hij belazert me al jaren. Zo, dan weten jullie dat ook.'

'En wat nu?'

'Laat dat maar aan mij over. Ik heb het gehad met die zak. We oefenen gewoon verder, jullie kunnen alleen maar beter worden. We gaan die vent een poot uitdraaien.'

Het was fris buiten, lekker fris.

Paul haalde diep adem. Zijn kop zat vol. Met teleurstelling, maar ook met opwinding. Met hun Jupiter-contact ging het niet goed, dat was klote. Maar John stond nu achter hen. En je kon zeggen wat je wilde over die verlopen ouwe rocker, ervaring had hij wel. En verstand van muziek maken.

Paul sloeg rechtsaf naar zijn fiets. Die stond daar niet.

Links dan. Daar stond hij.

Nou ja, stond... hij lag.

Het voorwiel ontbrak. In het achterwiel zat een slinger. Er zaten spaken los. Op het zadel zat een briefje geplakt. Zakkenwassers! dacht Paul. Hij vouwde het briefje open.

Stoute Paul,

Ik wil je niet straffen, want er zit zoveel goeds in je. Ik wil ook niet dreigen, dat hoort niet bij me. Maar ik moet je wel waarschuwen.

Mijn gevoelens zijn oprecht. Ik ben niet veranderd. Jij wel. Jij bent jezelf kwijt.

En nu probeer je me pijn te doen. Waarom toch? Je hoeft me niet jaloers te maken, je hebt me al veroverd!

Dat meisje, dat kleine onnozele meisje. Je maakt een grote fout, lieverd.

Berber heet ze, of niet?

Jeweetwel

'Shit! Fuck!' Paul verfrommelde het briefje en smeet het weg. Hij gaf een schop tegen zijn fiets en keek om zich heen. Waar was ze? Daar, om de hoek? Achter die bosjes links? Kom hier, Kim! Laat je zien! Ik zal je laten merken wat mijn gevoelens zijn! Waar ben je! *Berber heet ze, of niet?*

Hoe wist ze van Berber? Hoe wist Kim dat ze zo heette?

Berber!

Paul begon te rennen. Het was een roteind. Willemstraat, Parklaan, Nassaulaan, Dillenburglaan.

Hijgend belde hij aan.

Naast de bel stonden een paar letters op de muur: ER IS ER.

De deur ging open. Berber. Zachte lach. Donker, klein. Lieve ogen. Heel blauw.

'Hé hallo. Wat leuk om je te zien. Kom je binnen? Alleen mijn vader is er.'

'Nee, liever niet. Berber, ik wil met je praten. Heb je tijd?'

'Ja. Even mijn vader melden dat ik op straat ga spelen.' Binnen een minuut was ze terug.

'Ik moet je wat vertellen,' zei Paul.

'Doe maar. Zullen we gaan zitten?' Voor het oude herenhuis stond een bankje.

'Kim is weer bezig,' zei Paul.

'Nog steeds, bedoel je.'

'Ja. Ze heeft mijn fiets in elkaar getrapt. Gelukkig een ouwe, maar er zat een briefje bij.'

'Laat maar lezen.'

'Oh, verdorie. Weggegooid. Stom.'

'Geeft niet. Wat stond erin?'

'Weer van die rare dreigementen.'

'Waar dreigde ze mee?'

'Nou, niet echt ergens mee. Dat is het gekke. Ze dreigt eigenlijk niet, maar toch wel.'

'Ik snap het niet.'

'Tussen de regels door. Ze dreigt tussen de regels door.'

'Ah. En dat was het?'

'Nee. Ze had het over jou. Ze kent je naam. Ik werd opeens bang. Ik wil niet dat jij er last van krijgt.'

'Mm.'

'Begrijp je?'

'Mm. Ik denk trouwens dat ik er al bij betrokken ben.'

'Hoezo?'

'Ik ben een beetje bij jou betrokken. Klinkt wel erg klef, maar ik weet niet hoe ik het anders moet zeggen.'

'Klinkt wel lief klef.'

'En er is nog iets anders. Ik had al begrepen dat ze van mijn bestaan op de hoogte is.'

'Wat? Hoe wist je dat dan?'

'Kijk, hier.' Berber stond op en liep naar de voordeur. Ze wees naar wat letters naast de deurbel.

ER IS ER

'Wat is "er is er"?' vroeg Paul.

'Mijn vader heeft al een gedeelte weggepoetst. Het gaat er moeilijk af.'

'Wat stond er dan?'

'Berber is een hoer,' zei Berber.

Er reden geen bussen meer.

Paul had besloten het Stadspark door te steken en daarna links aan te houden. Niet de kortste route, wel de stilste.

Het was nog een uur lopen naar Westwolde. Berber had hem haar fiets aangeboden, maar die had hij afgeslagen. Lopen duurde langer en hij wilde moe worden, hij wilde zijn benen, zijn lichaam voelen.

Anderhalf uur hadden ze op de bank voor Berbers huis gezeten.

Een paar keer zei Berber iets, in korte zinnen. Soms, als het een poosje stil was of als Paul haar iets vroeg. Of als ze vond dat Paul verder moest vertellen. Ze praatte niet zoveel. Ze luisterde.

Paul wilde ook wel luisteren, maar dan zou hij eerst zijn kwaaie kop en daarna zijn hollende hersens uit moeten zetten, en dat ging niet. Hij moest praten, roepen, boosheid braken. Soms trilden zijn handen, zag hij. Hij had het koud.

Na een uur werd hij rustiger. Ondanks zichzelf. Hij wilde wel laaiend kwaad blijven, maar het vuurtje doofde nadat hij tien keer ongeveer hetzelfde had gezegd.

Het kwam ook door Berber. Ze deed niet mee. En toen hij dat merkte, ging hij langzamerhand met háár mee. Hij wilde bij Berber in de buurt blijven. Zij had het niet koud.

Paul had al na tien minuten Berbers hand gepakt en die niet meer losgelaten. Hij had de hand geknepen, geaaid, met beide handen vastgehouden, hij had hem op zijn borst gedrukt en op zijn been, en er nog veel meer dingen mee gedaan, maar dat had hij niet in de gaten gehad.

Toen moest ze naar binnen. Ze stond op. 'Dag Paul. Het is goed, zo. Jij bent de baas, zij niet.'

'Mm.' Paul was ook opgestaan.

'Paul?'

'Ja?'

'Wat ben jij eigenlijk groot.'

'Groot? Helemaal niet. Jij bent klein.'

'Ik ben normaal. Jij bent groot. Te groot voor mij. Ik kan er niet bij.'

'Waarbij?'

'Sufkop, ik moet afscheid nemen.'

'Oh ja. Stom. Maar ik kan er wel bij.'

En dat was hun eerste zoen. Niks geen geduw, gelebber, getong of gezuig. Gewoon een zachte lieve zoen.

Niks een kwartier lang en buiten adem en gehijg. Gewoon een zachte lieve zoen van hooguit tien seconden.

En nu liep hij langs het verbindingskanaal met om de twintig meter een populier en steentjes op het fietspad. Straks de boerderij links en dan nog drie kilometer rechtdoor, langs de molen en het oude gemaal. Het dorpscafé van Gerrit en tenslotte nog tweehonderd meter naar zijn huis.

Paul pakte zijn bluesharp.

Hij moest iets kwijt.

Op het ritme van zijn voetstappen speelde hij een solo van een nummer dat nog niet bestond. Hij wist wel waar het over ging.

Tioe tioe ta tu tioe.

Zacht, maar stevig. Diep, laag, maar niet triest. Sterk en warm. Zo moest het zijn.

Paul keek achterom. Doodstil en uitgestorven. Natuurlijk is het doodstil en uitgestorven, neuroot! zei hij bij zichzelf. Op dit uur! Hou nou eens op met dat zenuwachtige gedoe! Denk je echt dat ze achter die boom staat? Doe een beetje normaal!

Dat hielp.

Een beetje.

Het lukte hem de laatste kilometer vooruit te blijven kijken. Goed, twee keer keek hij even over zijn schouder, maar dat telde niet.

Paul ging door de achterdeur het huis binnen. Alleen de spaarlamp in de gang brandde. Het was doodstil in huis. Hij sloop de trap op, deed zachtjes de deur van zijn kamer open, trok zijn kleren uit en dook in bed. Hij had het wel gehad. Bekaf.

Hij had niet eens de moeite genomen het gordijn dicht te doen. Anders had hij misschien gezien dat nog niet iedereen naar bed was.

Onder de boom aan de overkant stond iemand te schuilen.

Voor de regen die misschien nog kwam.

16

Het was vrijdagavond zeven uur en de schoolweek zat er gelukkig
op.
Willem was benieuwd.
Vorige week was die vent van Jupiter kwaad weggelopen. Maar hij
zou wel bijdraaien, had John van Hulst gezegd.
Geen kwaaie kerel, die John. Maar je moest natuurlijk afwachten
of hij ook verstand had van het hogere zakendoen. Voor hetzelfde
geld – hoewel, dat niet natuurlijk – hield die Jupiterproleet het
voor gezien.
Willem pakte een zakje nieuwe snaren uit zijn bureaulaatje. Die
klotesnaren ook altijd. Die dingen knapten op de beroerdste mo-
menten. Tijdens optredens. Of als ze voor moesten spelen. Of tijdens zijn solo.
Hij had Berber vanmorgen gevraagd of ze zin had om mee te gaan
naar de repetitie. Zijn zus vond het beter van niet. Ze wilde hen
niet afleiden.
Goeie meid, zijn zus. En leuk dat ze de laatste tijd af en toe met
Paul optrok. Hij hoopte dat het wat zou worden.
Willem trok de achterdeur achter zich dicht en liep naar zijn snor-
fiets, die tegen de schutting stond. Een aftands, lawaaiig, overjarig
en verroest bromding zonder vering. Maar wat gaf het. Hij deed
het altijd. Een helm was niet nodig en hij reed niettemin tegen de
zeventig.
Willem was blij dat zijn gitaar al in de repetitieruimte lag. Dat ding
in die zware koffer op je rug, dat gehobbel over de kinderhoofdjes
van het Boterdiep, die stomme drempels in de Tuinbouwstraat,
nee, dat is geen lolletje.
Hij duwde zijn brommer aan en gaf tegelijk gas. Toen hij aan-
sloeg, sprong hij erop. Het ding trok als een gek. Na een meter of

veertig zag hij op de teller dat hij al bijna vijftig reed. Zo scheurde hij de Dillenburglaan uit.

De Dillenburglaan komt uit op de Oranjesingel. Daar kun je links of rechts. Ga je rechtdoor, dan knal je op een stoep aan de overkant en duik je een paar meter verder de vijver in van het prachtige Noorderplantsoen.

Willem reed nu over de vijftig en vond dat hard genoeg. Hij moest zo rechtsaf.

Twintig meter voor de hoek kneep hij vol in de rem en ging op de achterste trapper staan.

Gewoonlijk deden de remmen het prima.

Nu niet.

Willem schrok zich te pletter en vloog op de hoek af. Met beide voeten op de grond probeerde hij nog wat snelheid te minderen. Het enige gevolg was dat hij begon te slingeren. Hij had nog steeds een gang van veertig per uur.

De hoek.

Willem zag dat er een Mercedes van links kwam. En een motor van rechts.

Er was geen houden aan.

Slingerend schoot hij de Oranjesingel op.

Hij zag geknipper van koplampen en hoorde gegier van remmen.

Paul had een T-shirt aangetrokken dat paste bij zijn stemming. En die was behoorlijk goed.

De zoen van een week geleden was dagenlang op zijn mond blijven zitten. En wat Berber had gezegd – 'jij bent de baas, zij niet' – was blijven hangen.

Wat ook goed werkte, was een nieuwe tekst die hij had geschreven. Die ging een beetje over Berber, maar nog meer over hem. Het eerste woord van de eerste zin stond op zijn T-shirt.

Paul had een nieuwe fiets. Een nieuwe oude fiets. Hij nam hem voor de zekerheid mee naar binnen.

'Dag, hemelse zanger van me,' riep Flip, die aan het inslaan was. 'Wat heb jij nou aan? Heb je soms aan mijn snoepjes gezeten?'

'Dag Flip. Ha Beertje. Alles goed met jullie? Is Willem er nog niet? Hij is er altijd als eerste.'

'Niet dus,' zei Beertje.

De deur ging open. John van Hulst, producer van Jupiter Productions, kwam binnen.

'Dag mannen. Ik heb een mededeling voor jullie. Ik ben geen producer meer van Jupiter Productions.' Hij trok even aan zijn staartje.

Paul keek Flip aan, toen Beertje en tenslotte John.

'Hoezo? Heb je ontslag genomen?'

'Zo'n beetje, ja. Ik ben eruitgegooid. Die eikel van een Van Oven dacht dat hij het beter wist. Het spijt me, jongens, ik heb het verknold. Maar Van Oven ook. Die laat iets moois uit zijn vingers glippen.'

'Dank je voor het compliment, John. En heel beroerd voor je. Maar als ik het goed begrijp, komt er dus geen clip, geen cd, helemaal niks.'

'Eh, ja, dat klopt. Voorlopig, tenminste.'

'Wat doe je dan nog hier?' vroeg Beertje.

'Ik ben in de eerste plaats muzikant. We zijn iets goeds aan het maken. Dat laat ik niet door Van Oven verknollen, snap je?'

'Een beetje spelen. Leuk, dat wel. Maar het schiet niet op zo,' zei Beertje.

John wandelde naar de deur en terug. Hij ging voor Beertje staan.

'Jupiter is niet de enige productiemaatschappij. Ik heb veel contacten in het wereldje. Wacht maar af. Ik ben hier en daar al wat aan het kletsen.'

'In De Pomp, wed ik,' zei Flip. 'En in Moeder Overste. De Habbekrats, daar waarschijnlijk ook. Of in Het Hobbelpaard Van Troje.'

'Maakt niet uit waar. Ik heb veel vrienden. Zullen we wat gaan doen? Jullie zijn er nog lang niet.'

'En Willem ook niet,' zei Flip. 'Moeten we niet op hem wachten? Ik wil Willem. Ik wil 'm.'

'Hou op met die flauwe grappen,' zei Beertje.

'Ik ken nog een mop,' zei Flip.

'We gaan spelen, Flip.' Paul liep naar de microfoon.

'Er komt een man bij de dokter...'

'Die kennen we al.'

'Nee, nee, deze is heel anders. Veel leuker.'

'Straks in de pauze, Flip. We gaan nu spelen.'

'Ik heb zo'n kriebel onder aan mijn rug, zegt die man...'

'Flip! Hou je smoel!'

'Oké, ik zeg al niks meer. Dan vertel ik ook niet waarom die dokter ineens opstaat en het raam opendoet.'

'Waarom doet hij het raam dan open?' vroeg Beertje.

'Zeg ik niet.'

'Dat is flauw. Eerst een beetje spannend doen en dan "zeg ik niet". Kom op, wat is er met dat raam?'

'Dat raam zit op de zevenenzestigste etage. Meer vertel ik niet. Dat gezeur van jullie.'

'*Mystery*, mannen,' zei John. 'We gaan *Mystery* uitwerken. Begin maar, Beertje.'

Op dat moment ging de deur open en kwam Willem binnen. Hij hinkte en had een wit verband over zijn voorhoofd. Zijn haar was nat.

'Hoi,' was alles wat hij zei.

'Wat heb jij nou?' vroeg Paul.

'Ongelukje.'

'Hoezo ongelukje? Je ziet eruit alsof je je zowat hebt doodgereden met je brommer.'

'Ik heb me zowat doodgereden met mijn brommer.'

'Wat is er gebeurd?'

'Ik wou remmen en een bocht om, maar dat ging niet. Ik schoot rechtdoor over een stoeprand en vloog over de kop. Zo de vijver in. En die motor reed toen frontaal tegen die Mercedes.'

'Motor? Mercedes?'

'Ja, daar kon ik net tussendoor.'

'Shit! Waarom remde je dan niet?'

'De remmen deden het niet. Heel raar. Ik had vorige week nog een nieuwe kabel gemonteerd. Die was nu ineens geknapt. Finaal doormidden. Bestaat niet.'

'Wel, dus,' zei Beertje.

'Ja, wel dus. En de naaf van de terugtraprem was ook stuk. Dat geloof je toch niet. Alles tegelijk kapot. Wat een stomme pech, ongelofelijk.'

Paul kreeg een heel beroerd gevoel in zijn buik. Zou... Stel, dat... Als het nou eens... Nee, dat kon niet. Belachelijk! Hou op! Je ziet spoken! Maar...

'Ik heb...' Paul aarzelde. 'Misschien... ik denk... eh...' Hij ging met zijn vingers door zijn haar, heen en weer en heen en weer. 'Eh... hoe is het met die motorrijder afgelopen?'

'Die stond weer op.'

Berber deed de voordeur achter zich dicht en liep de Dillenburglaan uit in de richting van de Koninginnelaan. Ze wreef even langs haar neus en zag een streepje bloed op haar pols. Met een wijsvinger wreef ze het vlekje weg. Nu was haar vinger weer een beetje rood. Dat schoot niet op.

Arme Willem, dacht ze. Met zijn kop op een modelbootje in de vijver geknald. De hele vijver leeg en net daar dat zeilbootje van Joep, haar buurjongetje van acht. Sneu voor Joep. Maar ook voor Willem. Hij bloedde behoorlijk toen hij thuiskwam. Ze had hem verbonden. Haar moeder had het vast beter gedaan, die was verpleegkundige. Maar haar moeder had dienst.

Berber verheugde zich op deze vrijdagavond.

Eerst naar Karin, lekker kletsen en lachen en met zijn tweeën chatten op de een of andere chatbox. Dat was vaste prik, de laatste tijd. Dan zochten ze een type uit met een leuke naam en dan deden ze of ze vijfentwintig waren en lang en donker. Karin heette Monica en Berber Suzy. Laatst hadden ze een spannend contact met Robin Hood, maar toen die hun telefoonnummer vroeg, hadden ze het contact verbroken. Dan maar liever verder met De Monnik, een twintigjarige blonde ex-matroos, die nu in een hut woonde, ergens in de wildernis. Zei hij. Ja, ja, in de wildernis. Maar wel met internet. Maakte allemaal niet uit.

En om tien uur naar *De Vrolijke Frans*.

Naar Paul.

Paul. Was ze nou verliefd of niet? Ze was er nog niet helemaal uit. Soms wel, dat was zeker. Gisteren had ze wel een uur onder de douche gestaan. Toen was ze verliefd. Het was of het water haar aaide. Ogen dicht en voelen. Fantaseren en een beetje in jezelf praten. Absoluut verliefd, merkte ze aan haar hoofd. En aan haar buik. Maar dan droog je je af en ga je ontbijten met je moeder en hagelslag eten en over school vertellen en dan is alles ineens weg.

Berber sloeg linksaf de Koninginnelaan in en naderde de brug over het Reitdiep.

Het was rustig op straat. Een bejaarde fietser peddelde voorbij. Een zwart hondje scharrelde aan de overkant. Dat was alles.

Bijna alles.

Er stond een man tegen de leuning van de brug. Hij had een lange donkere jas aan en droeg een muts die hij over zijn oren had getrokken. Beetje vreemd, schoot er door Berber heen. Het was een zwoele avond.

De man draaide even zijn hoofd om. Hij had een grote zonnebril op.

Berber voelde zich niet helemaal op haar gemak. Ze was nog twintig meter van de brug verwijderd en stak de straat over. Ze was niet bang uitgevallen, maar waarom zou je niet het zekere voor het onzekere nemen.

Toen ze de brug opwandelde, zag ze dat de man aan de overkant naar haar keek. Hij begon met haar mee te lopen. Berber ging harder lopen. De man aan de overkant ook.

Ineens stak hij over.

Berber versnelde haar pas, maar hij was sneller.

Toen was hij vlak achter haar. Berber voelde een tik op haar schouder. Ze keek om.

'Hé.' De man stak een sigaret omhoog en hoestte. 'Hé, heb je vuur?' Hij hoestte weer.

Berber deed een stap achteruit. 'Nee, ik heb geen vuur.'

'Oh. Jammer dan. Goedenavond.' De man draaide zich om en stak weer over.

Berber was flink geschrokken en daar baalde ze van. Zo was ze niet. Even later kon ze om zichzelf lachen.

Links de Kraneweg in, rechtsaf naar het Mesdagplein.

Paul had verteld dat hij een nieuw nummer had geschreven en dat zij erin voorkwam. Dat wil zeggen, niet zij, maar zijn gevoel over haar. Schrik niet, had hij gezegd. Hij keek er erg serieus bij. Waarschijnlijk deed hij het niet expres, maar spannender had hij het niet kunnen maken.

Berber wandelde door de rustige laan met om de dertig meter een plataanboom.

Ze keek naar links. Op nummer 20 woonde haar leraar Frans.

Had ze naar rechts gekeken, dan had ze zeker de zwarte scooter gezien die tussen twee geparkeerde auto's stond. Er zat iemand op met een glimmend zwart jack en een zwarte helm waarvan de klep omlaag was.

Berber neuriede het refrein van *Under Cover*. Tot ze het gejank van de scootermotor hoorde. Ze keek over haar schouder en schrok zich wild. Nog geen tien meter achter haar raasde het ding over de stoep op haar af.

Eerst wilde ze gaan rennen. Toen besefte ze dat dat zinloos was. Ze moest wegduiken. Links of rechts wegduiken.

Vijf meter.

Onwillekeurig stak ze haar handen in de lucht. Alles wat ze zag, was het licht van de koplamp. Ze moest kiezen. Links of rechts.

Twee meter.

Links. Ze dook.

De scooter raakte Berbers voet voordat ze op de grond terechtkwam. Ze viel hard op haar zij en zag dat haar linkerschoen de goot in stuiterde. De scooter was op volle snelheid doorgereden en via de Bleekerstraat in het stadsgewoel opgelost.

Shit! Wat was dit nou weer! Je hoorde wel eens over idioten die op vrijdagavond te veel hadden gedronken en dan gingen zitten zieken. Of over jongens die voor het eerst op een veel te snelle brommer gaan zitten en dat het ding dan met ze aan de haal gaat.

Maar dit was andere koek. Dit was geen geziek. Dit was niet per ongeluk. Iemand had geprobeerd haar te raken.

Berber stond op en pakte haar schoen. Ze was niet buiten adem, maar ze hijgde wel.

Haar te raken? Haar omver te rijden! Het drong nu langzaam tot haar door. Die gek had geprobeerd haar kapot te maken!

Berber keek om zich heen. Aan de overkant liep een man met een rugzak. Hij zag haar niet. Een auto passeerde.

Ze trilde een beetje en leunde met een hand tegen een boom. Het hijgen nam af. Ze wreef over haar heup en haalde een paar keer diep adem.

Het ging wel weer.

Berber liep naar de Melkweg. Dat was vijf minuten om, maar het had als voordeel dat het daar drukker was. Ze had geen enkele behoefte meer aan een fijne wandeling door mooie stille straten.

Nog een paar honderd meter.

Ze zag verderop stadsbussen rijden en fietsers en veel auto's. Daar wilde ze heen. Drukte. Veilige drukte.

Het was nauwelijks lopen wat ze deed. Ze rende bijna. Ze keek regelmatig om en naar links en rechts.

En toch werd ze nog overvallen door het gegier achter zich. Ze dook weg in een portiek. Toen ze opkeek, zag ze een sportwagen met knipperende lichten en een zwaaiende man. Waar hij naar zwaaide wist ze niet, maar in ieder geval niet naar haar.

Berber schudde even met haar hoofd. Doe een beetje normaal, zeg. Zenuwpees.

Nog een meter of tachtig.

Nog steeds geen verkeer, hier.

Behalve daar, aan het eind van de straat.

En behalve die koplamp.

De koplamp die ze al kende.

Hij was nu nog klein, maar hij werd snel groter.

De zwarte scooter kwam haar in razende vaart over de stoep tegemoet. In een flits zag ze een zwarte helm en een glimmend zwart jack.

De stoep was twee meter breed. Links dichte deuren, rechts hier en daar een boom en de lege straat. Er was geen uitweg, geen steeg, en geen auto waarachter ze kon wegduiken.

De scooter jankte en raasde in een rechte lijn op Berber af. Het felle licht van de koplamp had haar al te pakken. Paniek greep haar bij de keel. Haar borst, haar hoofd, alles bonsde. Waarheen? Waar moest ze heen?

Ze stond vastgelijmd op de stoep, tussen twee bomen in. Twintig meter verder was er een. Die zou ze nooit halen. Tien meter achter haar was de andere. Als ze nou eens...

De scooter was nog maar een paar seconden van haar verwijderd. Ze moest iets doen!

Het was haar enige kans. Ze sprintte naar de dichtstbijzijnde boom en hoopte die te halen. Het zou erom hangen. Op het moment dat ze achter de stam dook, vloog de moordscooter haar voorbij.

Gered!

Berber stond met haar rug tegen de boom en deed haar ogen dicht. Ze had even tijd nodig om bij te komen.

Die tijd kreeg ze niet.

De scooter was veertig meter verderop gestopt en omgedraaid. Toen Berber haar ogen opendeed, was die duivelse koplamp het eerste wat ze zag.

Weer scheurde de scooter in volle vaart op haar af.

17

Paul had er verder maar zijn mond over gehouden.

Wat had hij moeten zeggen? Dat het misschien geen ongeluk was geweest, wat Willem was overkomen? Dat hij een ex-vriendin had die geflipt was? Dat ze mogelijk bij Willem in de tuin aan zijn brommer had zitten klooien? Wie gelooft dat nou? Hij kon het zelf niet eens geloven. Het was te zot om erover te beginnen.

En dus had hij zijn schouders opgehaald en zijn bluesharp gepakt en gestreeld en een vlekje weggeveegd en erop gespeeld alsof hij zijn hart en zijn hoofd met zijn adem mee naar buiten blies.

'Onwaarschijnlijk, wat is er met jou aan de hand?' vroeg John.

'Hoezo?'

'Als je altijd zo speelt, krijg ik je binnen een week in het voorprogramma van... van...'

'The Rams,' zei Beertje.

'Op zijn minst. Ik bedoelde eigenlijk de... Shit, hoe heten ze ook alweer, de...' John van Hulst, ex-producer van Jupiter Productions, zocht in zijn hersens en in zijn binnenzak. Daar haalde hij een klein flesje uit, dat hij in één teug naar binnen goot. 'The Wave! The Wave, bedoel ik!'

'Nooit van gehoord,' zei Flip. 'Of heb je het over De Weef?'

'Ja, The Wave, ja.'

'Oh, die. Ik dacht dat je The Wave zei.'

'Ja, The Wave.'

'Nee, dan zijn we het eens. De Weef. Goeie groep, De Weef.'

'Zo is het.'

Ze speelden die avond de sterren van de hemel.

Beertje omdat zijn volumeknop helemaal open mocht.

Willem omdat alle zes snaren heel bleven.

Flip omdat hij altijd de sterren van de hemel speelde.
En Paul vanwege Berber.
John zong voor de gein het refrein van *Mystery*. Paul wist niet wat hem overkwam. Even bekroop hem de gedachte dat hij maar beter kon stoppen met zingen.

De scooter had geen schijn van kans.
Berber had nu haar boom.
Vlak voor ze geplet zou worden, dook ze weg.
De scooter probeerde het nog twee keer, maar hij verloor het van de boom. Uiteindelijk reed hij weg en bleef weg.
Berber bereikte – half verdoofd – via een paar drukke straten haar vriendin.
Er werd die avond weinig gechat door Monica en Suzy.
Wel tussen Berber en Karin.
Voor het eerst vertelde Berber over Paul, zijn band, zijn plukhaar, zijn mondharmonica en zijn T-shirts. En over Kim, zijn vroegere vriendinnetje. Meestal had ze aan een paar zinnen genoeg om haar verhaal te vertellen. Nu was ze een halfuur achtereen aan het woord. Toen ze klaar was, had ze tranen in haar ogen, maar ze had het gevoel dat ze een rugzak vol stenen kwijt was.
'Goh,' zei Karin.
'Ja,' zei Berber.
Meer was er even niet te zeggen. Hoefde ook niet.
Karin schonk wat lekkers in en zette een cd op. Ze was zo aardig niet direct over háár nieuwe vriendje te beginnen.
Tegen tienen kreeg Berber een aai over haar hoofd.
Om vijf over tien deed ze de deur open van *De Vrolijke Frans*.

Paul had een behoorlijke kick gekregen.
Er is niets zo lekker als een nummer dat klinkt zoals je het bedoelt. Dat lukt bijna nooit. Er gaat altijd wel iets fout. Je komt bij het zingen niet helemaal uit met je ademhaling. Of je zit net tegen een valse toon aan. Of je tremolo klopt net niet. De uitspraak van een woord deugt niet helemaal. Als je zingt voel je elk foutje, hoe mi-

niem ook. De luisteraar hoort dat meestal niet, omdat die niet weet wat precies de bedoeling was. Maar de zanger wordt voortdurend door zijn beperkingen gepest. En dus is het een piekervaring als het een keer allemaal klopt.

De tennisser kent het gevoel. De schrijver. De pianist. De zanger.

Paul was opgewonden.

En niet door Berber, dat moest nog komen.

Hij opende de deur van De Vrolijke Frans en keek rond. Hij was iets te laat.

Berber zat achterin, in een nis. Ze was prachtig, maar ze straalde niet. Ze lachte wel, zag Paul. Ze lachte half.

'Hoi!'

'Dag Paul.'

'Gezellig plekje heb je uitgezocht.'

'Mm. Hoe was het muziek maken?'

'Lekker. Het ging hartstikke goed. Ik heb een paar keer aan je gedacht. Dat hielp.'

'Wat dacht je dan?'

'Dat wil je niet weten.'

'Dat wil ik wel weten.'

'Ik dacht... ik dacht...'

'Je verzint ze waar ik bij zit. Je bent een kletskop.'

'Nee, echt waar. Ik dacht aan je... aan je... eh... gezicht. Aan je stem. Je mond. En verder aan al je dinges.'

'En dat hielp?'

'Dat hielp, ja. Ik kan er niks aan doen.'

'Moet je ook vooral niet proberen. Wat is dat nou weer voor een T-shirt? Wat bedoel je met HET...?'

'Dat is het eerste woord van een tekst die ik heb geschreven.'

'Waar gaat het over?'

'Over mij. Nee, over jou. Nee, over mij.'

'Laat eens horen?'

'Hier? Kan toch niet? Ik kan hier toch niet gaan zingen?'

'Zachtjes. Bij mijn oor.'

Paul keek Berber aan en lachte. Hij leunde voorover.

'Het stormt
Het beukt
Het schommelt
Het prikt
Het jeukt
Het rommelt
En zo gaat het verder,' zei Paul.
'Mooi,' zei Berber.
'En hoe gaat het met jou? Was het leuk bij je vriendin?'
'Ja, dat was wel eh... fijn,' zei Berber.
'Wat doe je aarzelend. Ging het verder wel goed met je?'
'Eigenlijk niet, nee.'
'Hoezo?'
'Ik ben vanavond zowat van de sokken gereden.'
'Wat? Door wie? Wat bedoel je?'
'Ik weet niet door wie. Iemand op een zwarte scooter. Ik kon nog
net wegduiken. Mijn schoen is kapot. Mijn heup is blauw, maar
alles doet het nog.'
Paul pakte Berbers hand. Zijn goede stemming was in één klap
weg. Hij voelde steken in zijn maag, het begon te rukken, het
groeide, er kwam iets naar boven. Hij merkte dat zijn lijf en zijn
hoofd volstroomden met bakken vol kwaadheid. Hij wist niet wat
haat was, maar dit zou erop kunnen lijken.
'Kim!'
'Dat ging er wel even door me heen,' zei Berber zachtjes.
'Vertel!' zei Paul. 'Ik wil het allemaal horen.'
En Berber vertelde alles.
Ook dat het inmiddels veel beter met haar ging en dat schrik en
blauwe plekken gelukkig overgaan en dat er ook een hoop leuks te
beleven is. En dat ze best nog een drankje lustte.
'Jij ook? Ik haal wel even.'
'Laat mij maar.' Paul liep naar de bar. Zijn intense boosheid zat te
knokken met zijn opkomende verliefdheid. Hij had te weinig
ruimte in zijn hoofd. Eén ding wist hij zeker. Dit moest stoppen.
Kim moest worden gestopt.

Hij zette twee drankjes op tafel. 'Sorry, dat ik je in deze shit heb betrokken.'

'Kun jij niks aan doen. Dat weet je toch niet van tevoren?'

Gaandeweg de avond zakte de kwaadheid omdat de verliefdheid sterker werd. Ze kletsten zelfs nog over andere dingen. Berbers ogen werden mooier dan ze al waren, het was moeilijk om niet voortdurend naar haar lippen te kijken en toen ze naar haar gekwetste heup wees, zag hij van alles wat ook zijn warme belangstelling wekte. Het handvasthouden werd handjevrijen. Het viel Paul op dat handjevrijen ontzettend opwindend kon zijn. Het was of je er meer mee kon uitdrukken dan... dan... nou, dat was misschien wat overdreven.

En zo werd het toch nog een lieve, zachte, warme avond.

Maar dat veranderde allemaal niets aan wat hij eerder had besloten. Terwijl Paul naar huis fietste, bonkte het door zijn hoofd. Kim moest worden gestopt. Niet vragen of ze zo vriendelijk zou willen zijn om... Nee. Kim moest worden gestopt. Definitief.

Zaterdagochtend om elf uur pakte Paul de telefoon. Hij had het snoerloze apparaat uit de woonkamer meegenomen naar zijn eigen kamer. Het nummer had hij opgeschreven op een kladblok.

Paul zat al een kwartier achter zijn bureau. Hij zag op tegen het gesprek.

Maar het moest.

Het moest nu.

'Met mevrouw van Zaayen.'

'U spreekt met Paul Dupont. Kan ik Kim even spreken?'

'Die zit volgens mij op haar kamer. Ik zal proberen je door te verbinden. Hoe zei je dat je heette?'

'Paul. Paul Dupont.'

'Dupont, ja. Nooit van gehoord.'

Klik.

Trrr.

'Met Kim.'

'Kim, dit is Paul.'

'Hé, Paul! Wat leuk! Ik...'

'Stop! Ik moet met je praten. Vandaag.'

'Goh, wat klink je gretig! Ik...'

'Ik klink niet gretig. Ik heb haast. Tot gisteren dacht ik: laat maar, het zal wel loslopen, op den duur. Maar het loopt niet los.'

'Ik weet niet waar je het over hebt, maar ik ben ontzettend blij dat je me belt. En dat je met me wilt praten. Ik wist wel dat je een keer zou bellen. Ik wist dat je zou ontdekken wat ik werkelijk voor je beteken. Eindelijk, Paul. Je moest eens weten hoe hard ik voor je heb gevochten.'

Paul voelde zijn hartslag versnellen. Onderdruk die kwaadheid! Blijf koel! Laat je niet verleiden tot een discussie! Ga er niet op in!

'Ik moet vanmiddag met je praten. In de *Kale Jonker*, om vier uur. Oké?'

'Om vier uur? Natuurlijk! Maar niet in de *Kale Jonker*. Ik kan hier niet weg. Ik heb huisarrest. Ik moet op het terrein blijven. Ma vond dat ik te vaak weg was en te laat thuiskwam.'

'Hoe doen we het dan?' vroeg Paul, die een vieze smaak in zijn mond kreeg. Nee, dat klopte niet. Die vieze smaak was er al. Al tijden.

'Nou, gewoon. Jij komt hierheen.'

'Naar Jebsteyn?'

'Ja. Ik mag het landgoed niet verlaten, maar helemaal achterin, lekker ver weg van het woonhuis, staat een boshut. Daar komt nooit iemand, alleen ik. Ik slaap er wel eens, als ik boos ben. Of ik zit er te lezen of plannen te maken.'

'Hoe kom ik daar?'

'Eh, ja, dat is nogal ingewikkeld. Heb je pen en papier?'

'Ga je gang.'

Zo ingewikkeld was het niet, maar Paul was blij dat hij het genoteerd had. Zijn kop had even geen ruimte voor een gezond geheugen.

Rijksweg, landweggetje links, eerste kruispunt weer links. Zandweg in en rechtuit. Dan zag je de boshut rechts liggen.

'Ik zal er zijn,' zei Paul. 'Om vier uur.'

'Ik ook, reken maar.'

Paul liet de hoorn zakken. Vlak voor hij de uit-knop indrukte, hoorde hij vanuit de verte Kims stem.

'Reken maar. Reken maar.'

Het was nog een aardig eind trappen naar Jebsteyn.

Westwolde lag ten noorden van de stad, Jebsteyn aan de zuidkant.

Al met al zeker drie kwartier fietsen.

Paul had in zijn hoofd gestampt hoe hij moest rijden. Hij had ook in zijn hoofd gestampt wat hij moest doen.

Niet ingaan op Kims superlieve praatjes. Niet vallen voor haar te mooie gezicht, haar prachtige shitlichaam.

Hij zou haar vertellen dat ze moest stoppen met haar zieke gedrag. Dat ze hulp moest zoeken. Dat er geen schijn van kans was dat ze hem kon overhalen. Dat ze van zijn vrienden en vooral van Berber moest afblijven, omdat hij anders niet voor zichzelf kon instaan. En dat hij naar haar ouders en naar de politie zou gaan, als ze niet zou stoppen.

Dat moest genoeg zijn.

Heldere taal, duidelijker kon hij niet zijn.

Paul had het warm. Zijn T-shirt plakte aan zijn lijf.

Hij had na lang aarzelen een T-shirt aangetrokken met niks erop. Met grote letters. NIKS.

Hij zag als een berg tegen het gesprek op.

Paul hoopte dat Kim zou inzien dat ze gestoord bezig was. Dat het geen enkele zin had wat ze aan het doen was. En dat ze zich erbij zou neerleggen. Maar gerust was hij er niet op.

Een kwartier moest genoeg zijn. Hooguit een halfuur. Dan zou hij gezegd hebben wat er gezegd moest worden. En hij zou weer weg-gaan.

Terug naar Westwolde.

Want om zes uur moest hij in het dorpscafé zijn. Om zes uur begon het leuke deel van de zaterdag. Berber zou er zijn en ze zou-den er iets lekkers gaan eten en een paar drankjes drinken en el-kaar leuke verhalen vertellen en daarna naar disco De Waanzin gaan. Dat was de enige tent in de stad waar je lekker kon dansen, maar waar ook stille plekjes te vinden waren. En eerlijk gezegd had hij vooral behoefte aan stille plekjes met Berber.

Paul had de wind tegen.

Hij naderde de boerderij met het rieten dak. Pal daarna was er een smal weggetje waar hij linksaf moest, had ze gezegd.

Een paar honderd meter verder was het kruispunt met de zandweg.

Linksaf, het bos in.

Het was hier doodstil. Vreemd, vond Paul. Het was weekend, de zon scheen en links en rechts was alles puur natuur. Maar er waren geen fietsers en geen wandelaars. Hij was alleen. Goed, het was hier natuurlijk wel een eind weg van de bewoonde wereld.

Rechtdoor.

Links een donker sparrenbos. Rechts beuken en braamstruiken.

Het rook lekker.

Toen zag hij de boshut. Rechts, misschien vijftig meter van de weg vandaan, beschermd door drie dikke bomen, stond een bruine blokhut. Een deur in het midden, kleine ramen aan weerszijden.

Hij was er.

Paul fietste het smalle pad op en slipte bijna op de drassige grond. Hij zag sporen van dikke banden. Scooterbanden.

Er was niets te horen en niemand te zien.

Paul zette zijn fiets tegen een boom en liep naar de voordeur van de hut. Die was niet op slot. Hij piepte niet eens. Paul deed twee stappen naar binnen.

En dat was het.

Hij voelde een dreun op zijn hoofd, maar kreeg geen tijd om pijn te voelen.

Binnen een tel was hij weg.

18

John van Hulst, ex-producer van Jupiter, nam een slok van zijn wodka-jus. Het was zijn eerste die dag. Hij voelde zich direct beter, want de eerste was altijd de lekkerste. Zeker sinds hij gestopt was met drinken. Dat wil zeggen, voor twaalf uur 's middags.

Het was nog erg rustig in *De Zwevende Rib*.

De Rib was hét muziekcafé in de stad. Hier kwamen de jongens die het gemaakt hadden. Ze wilden gezien worden en biertjes krijgen van bewonderaars. Hier kwamen ook de beginners. Die bestelden biertjes voor de jongens die het gemaakt hadden. En producers dronken hier op het succes waar ze op hoopten. Meisjes waren er ook altijd. Die gingen na sluitingstijd mee met de sterren.

John had daar geen belangstelling voor.

Hij was geen ster meer en hij was oud. Een jaar of tien geleden was het hem voor het laatst overkomen. Een meisje van een jaar of twintig had gevraagd of ze met hem mee mocht. Ze wilde hem verwennen, zei ze. Natuurlijk was hij op dat onverwachte aanbod ingegaan. Twee uur later was ze er vandoor gegaan met zijn spijkerbroek. En met de achthonderd gulden in de zak van zijn spijkerbroek.

Nee, die tijd was voorbij.

John nam nog een slok en keek om zich heen.

Niemand.

Niemand van belang.

Pas drie drankjes later werd het drukker.

Een paar jongens van *Chewing Gum*. Shitgroep. Heavy-metal, hield hij toch al niet van. Twee meiden van *White Teeth*. Mooie koppen, valse stemmen, valse tieten. Die zak van een Marco van der Geest, popjournalist van het *Nieuwsblad*. Die had ooit zijn laatste cd de grond ingeschreven.

En toen kwam Bollie binnen.

Bollie van Westen was producer bij Foney Fono en een ouwe maat van John. Ooit speelden ze samen in De Kot, een R&B-band die het vooral goed deed op het platteland. Kleine zaaltjes, altijd uitverkocht. Gouden tijd.

Op Bollie had John zitten wachten.

Bollie van Foney Fono.

Foney Fono. Platenmaatschappij, altijd op zoek naar talent.

Heel, heel langzaam werd het licht.

Paul wilde zich omdraaien, want hij lag niet lekker.

Iets later drong tot hem door dat hij helemaal niet lag.

Hij zat.

Waarom werd hij zittend wakker in zijn slaapkamer?

Wacht even. Dit was zijn slaapkamer niet. Die rook anders.

Waar was hij dan?

Paul wilde gaan verzitten, zijn rug en zijn hoofd deden pijn.

Maar het lukte niet.

Het was net of alles vastzat.

Nee, niet alles. Zijn hoofd kon hij bewegen. En hij kon schommelen. Een beetje heen en weer bewegen met zijn lichaam.

Hij kon nog steeds niets zien. Terwijl hij toch zijn ogen opendeed. Wat was dit?

Er zat iets voor zijn ogen. Hij voelde het aan zijn wimpers.

Hij wilde naar zijn ogen grijpen. Maar dat ging niet. Langzaam werd Paul wakker. Hij kon niet naar zijn ogen grijpen. Onmogelijk.

Zijn handen zaten vast.

Hij wilde opstaan.

Dat lukte ook niet. Zijn voeten zaten vast.

Shit! Wat gebeurde hier?

Even wachten.

Rustig aan. Denken!

Lukte niet. Er was vuurwerk in zijn hoofd. Alleen maar ongeleide projectielen. Hij had er geen controle over.

Concentreer je! Kop leegmaken! Denken!

Na vijf minuten nam het knallen en flitsen in zijn hoofd wat af. En er begon iets te dagen.

Hij had zijn handen op zijn rug. En die zaten ergens aan vast. Aan elkaar. En aan de stoel. Vastgebonden.

Zijn voeten zaten ook ergens aan vast. Aan elkaar. En aan de stoel. Vastgebonden.

Zijn ogen? Een doek. Er zat een blinddoek voor zijn ogen.

Zo, het begin was er. Hij wist nu in ieder geval dat hij weer kon nadenken, en wat er met zijn armen, voeten en ogen aan de hand was. Nu stap twee.

Wat deed hij hier? Waar was hier?

Shit!

Een beeld van een zandpad. Een donker sparrenbos.

Vreemd. Hij was niet zo'n wandelaar. Geen echte bosliefhebber.

Een hut. Twee ramen en een deur. Sporen van dikke banden.

Het kwam nu allemaal terug.

Kim.

Kim! Hij was op weg naar Kim! Het zandpad, het bos, de hut, de afspraak met Kim!

Paul probeerde zijn linkerhand los te trekken. Zijn rechterhand ging mee. Hij kreeg krampen in zijn nek.

Andersom dan. Ging ook niet.

Hij rukte en trok, maar schoot geen centimeter op.

'Dag lieverd. Je bent er weer, zie ik.'

Die stem!

Nee! Alsjeblieft! Niet die stem!

Wel die stem.

'Ik zal het doekje even weghalen, dan kun je zien hoe gezellig het er hier uitziet. En ik vind het ook fijn om je mooie ogen weer te zien. Zo, dat scheelt, hè? Dat voelt vast een stuk beter. Hoe is het met je hoofd? Ik heb zo zacht mogelijk geslagen, ik wilde je geen pijn doen.'

Een tel nadat Paul kon kijken, was zijn hoofd opgeklaard. Ondanks de drenzende pijn onder de achterkant van zijn schedel.

Het was zo helder als kristal. Hij was gepakt. Een gevangene. Paul keek om zich heen. Het zag er gek genoeg niet luguber of akelig uit. Hij zat in een kamertje van ongeveer drie bij vier meter. Links de houten wand, rechts een tafeltje met tientallen brandende waxinelichtjes. Een kapel, een kerkje, schoot er door hem heen. Een bank aan de andere kant en een oude boekenkast zonder boeken. De bovenste drie planken waren helemaal gevuld met poppen. Poppen met roze kleren. De onderste plank stond vol met foto's in ouderwetse lijstjes. Aan een haakje hing een camera. In sommige omstandigheden had het een gezellige, sfeervolle kamer kunnen zijn. Nu niet.

Hij zag haar niet, want ze stond achter hem.

'Ik ben zo blij dat je er bent,' zei ze.

Paul rukte aan zijn boeien. Zijn handen moesten los! Hij moest hier weg! Weg van deze krankzinnigheid!

'Laat maar, lieverd. Verzet je nou niet. Geef je over, laat je gaan. Je bent zo gestresst! Waarom vecht je zo tegen jezelf? Gewoon lekker zitten en met me praten. We hebben zoveel in te halen.'

Het lukte Paul het touw om zijn rechterpols een stukje op te schuiven. Met de vingers van zijn andere hand duwde hij het millimeter voor millimeter omlaag. Het touw zat nu bij het begin van zijn duim. Het schuurde. Hij voelde dat zijn huid kapotging. Doorgaan! Niet stoppen vanwege een beetje pijn! Voorzichtig nu, het mag niet opvallen. Weer een millimeter. Nog een paar centimeter.

'Ik wist dat je me zou bellen. Het was onvermijdelijk.' Kim was om Paul heen gelopen. Ze stond nu een paar meter voor hem. Hij wilde haar niet zien, maar het was onmogelijk om haar uit zijn beeld te gummen. Ze vulde de kamer. Er was niets moois meer aan haar. Ze zag er hetzelfde uit als vroeger, maar wat ooit prachtig was, was nu lelijk. Haar warme blauwe ogen waren nu stervenskoud. Haar lieve glimlach was een grimas. Een maand geleden was ze slank, nu akelig mager. Paul wist dat het zijn ogen waren, die haar zo drastisch hadden veranderd.

'Ik heb je ontzettend gemist, lieverd,' zei Kim. 'Ik heb je berichtjes gestuurd, maar het leek of je me niet wilde horen. Heel gek, want ik wist hoe je je moest voelen. In de war. Je was in de war, dat zag ik aan alles.'

Nog één, twee centimeter, dan was zijn rechterhand los. Dat zou volstaan. Vijf seconden voor zijn linkerhand, tien voor zijn enkels. Dan was hij vrij. Dan was zij niet meer de baas.

'Ik zag hoe je aan het modderen was. Laatst, met – hoe heet ze ook alweer – met Berber. Zo klungelig, dat zoenen, dat was niks. Dat vond ik bijna aandoenlijk. Ik weet hoe lekker je het vindt. Vertel mij wat, de Prinsentuin, een halfuur lang, je wilde niet stoppen. Ik moest er een eind aan maken, anders hadden we er nog gezeten. Nee, zulke dingen zeggen mij genoeg. Die hakken erin. Die zijn niet zomaar weg. Dat kan gewoon niet.'

Nog drie millimeter. Het touw zat bijna vast, vlak voor zijn duim, maar het moest lukken. Paul voelde wat nattigs, iets plakkerigs. Hij bloedde, besefte hij. Maar het deed geen pijn. Tenminste, hij had geen last van de pijn.

Nog één millimeter.

Het touw wilde niet verder, hij kreeg er geen beweging meer in. Geen gezeur! Trekken! Niet opgeven! Weer een stukje. Hij was er bijna.

'Ik moet toegeven dat ik even bang was dat je me niet meer wilde zien. Je deed zo je best om me niet te bellen! Maar in mijn hart wist ik dat je zou komen. Mijn hart heeft altijd gelijk. Dat had ik ook al met Felix, vorig jaar. Hé liefje, wat ben jij aan het doen? Kun je je er nog steeds niet bij neerleggen? Volg je hart nou toch eens, net als ik! Wacht, ik help je even. Je was bijna los, stouterd. Hé, lieve stouterd van me, niet valsspelen, hoor. Zo, die zit weer.' Kim ging voor Paul staan en glimlachte. Ze schudde een beetje van nee.

'Nou heb je weer straf verdiend. Waarom doe je zo moeilijk, lieverd?'

Ze haalde vol uit met haar rechterhand. Paul voelde een ontploffing in zijn oor. Hij zag een bloedspetter op zijn broek.

'Zo, sorry, dit moest even. Ik laat niet over me heen lopen, hoor. Dat heb ik me aangeleerd, ik moest wel. Begrijp je? Ik ben niet boos meer. Vroeger bleef ik heel lang boos, maar ik heb gemerkt

dat dat niet helpt. Daar heb je alleen jezelf mee. Ik kan nu vergeven.
Ik kan nu tegen mezelf zeggen: ophouden, vergeef het die ander,
hij weet niet wat ik weet. Geef hem de tijd. Wil je wat drinken?'
Paul was bezig bij te komen van de dreun. De knal had niet alleen
zijn oor geraakt, zijn hele hoofd trilde na. Vooral zijn hersens.
'Kim, maak me los. Ik zal je niks doen. Ik heb pijn aan mijn polsen
en aan mijn enkels. Laten we praten. Maak me alsjeblieft los.'
Kim stond voor hem en keek hem aan. Weer schudde ze haar
hoofd.
Ze haalde vol uit met haar linkerhand.
'Je moet me niet kwaad maken, hoor! Dat deed Felix ook altijd! Ik
had niks tegen Felix, maar die kon me ook zo kwaad maken! Werk
even mee, joh. Is dat nou zo moeilijk?'
Even dacht Paul dat hij om zou vallen, maar na drie keer heen en
weer kieperen stond zijn stoel weer op vier poten.
'Shit, Kim! Hou nou eens op met dat geschifte gedoe! Maak me
los! Je bent hartstikke gek!'
'Dat zei die vent in Amsterdam ook, ja. Die kennis van mijn vader.
Psychiater. Voor de rechtbank legde hij het heel goed uit. Iedereen
is eigenlijk gestoord, zei hij. Alleen komen de meeste mensen er
niet voor uit. Ze doen of ze normaal zijn. Dat sprak me wel aan. De
rechter begreep het ook.'
'Hoezo, de rechter begreep het ook?'
'Hij lachte. Later besliste hij dat ik niet naar De Haven hoefde.'
'De Haven?'
'Daar zitten de anderen.'
'De anderen?'
'Ja. De gekken.'
'Die er dus wel voor uitkomen. Die worden opgesloten.'
'Nee, net andersom. Als je eerlijk bent en toegeeft dat het niet allemaal loopt zoals je wilt, dat je een gewoon mens bent die af en toe
even de weg kwijt is, dan knikt de rechter van ja, dat hebben we al-
lemaal wel eens. Maar als je liegt en blijft beweren dat alles spoort
in je hoofd, dan ben je de lul. Dan word je gepakt voor het omtrap-
pen van een vuilnisbak. Begrijp je?'

'Nee. En ik wil het ook niet begrijpen. Ik wil dat je me losmaakt. Ik wil naar huis.'

'Ben je gek, je bent hier net. Zijn we eindelijk samen, wil je weer weg.' Kim lachte. 'Heb je honger? Ik zal even een broodje pakken.' Ze liep naar een hoek van de kamer. Daar lag een kleine rugzak. Even later stond ze voor Paul met een broodje in haar hand. Ze boog voorover. 'Ruik eens? Heerlijk, hè? Salami!' Kim scheurde een stukje brood af. 'Hier. Mond open. Eten, jij.'

Paul hield zijn mond stijf dicht.

'Bek open, klootzak! Je gaat me niet tegenwerken! Ik ben hier de baas, jochie! Je hebt je wekenlang vermaakt, terwijl ik op je zat te wachten! Je hebt die domme kip versierd! En ik maar geduld hebben tot je doorhad dat je fout zat!' Schreeuwend duwde Kim het stuk brood op Pauls gesloten mond, net zolang tot zijn gezicht vol zat met klodders deeg en stukjes salami.

Opeens deed Kim een stap achteruit. 'Zo,' zei ze. Haar stem klonk nu lager en zachter. 'Was het lekker? Jongen, jongen, wat heb je zitten knoeien. Wacht, ik pak even een zakdoekje. Viespeuk! Een lieve viespeuk, dat ben je.'

Paul rukte met zijn polsen aan het touw. Het had geen enkel effect.

'Dat ziet er beter uit. En nou gaan we praten. Want daar kwam je toch voor? Je had eindelijk door waar je hart ligt. Het neemt even tijd, maar de liefde wint, heb ik ergens gelezen. Wat wil je me vertellen? Of beter, hoe wil je het me vertellen? Kus!' Kim glimlachte en naderde met haar lippen die van Paul.

Vlak voor ze bij hem was, spuugde hij haar in het gezicht. Kim sprong op alsof ze een klap had gekregen.

'Hé, wat doe je nou? Ben je gek geworden? Er is geen peil te trekken op je gedrag! Je belt me op, je komt bij me en dan ga je spugen! Je bent wel erg in de war. Ik zal je helpen.' Kim liep naar de kast en pakte een foto van de plank.

'Shit, Kim! Hou nou eens even op! Ik heb het wel begrepen, hoor! Je hebt je punt gezet! Laat me los en ga hulp zoeken, alsjeblieft!'

'Rustig maar, lieverd. Rustig maar. Je hebt het helemaal niet begrepen. Nog steeds niet. Maar ik zal je helpen.' Ze ging voor Paul staan en hield de foto voor zijn ogen.

Het gezicht van een jongen van een jaar of zestien. Zijn ogen stonden slaperig, halfdicht. Zijn ene mondhoek was wat weggezakt.

Raar type, ging er door Paul heen.

'Kijken!' Kim duwde de foto verder naar voren. 'Kijken!'

'Ik kijk. En verder?'

'Wat zie je?'

'Och, een slaperige jongen.'

'Felix! Mooie Felix!'

Nou, mooi, mooi, dacht Paul.

'Hij was hier al dood. Vijf minuten, hooguit. Ik dacht, snel een foto maken, voor ze hem weghalen. Ik had nog helemaal geen foto van hem, het was haastwerk.' Kim liep terug naar de boekenkast en zette de foto tussen de andere lijstjes.

Langzaam begon Paul misselijk te worden. Het trok vanuit zijn maag naar zijn darmen en vandaar door zijn hele lijf. Wat hier precies aan de hand was, wist hij niet. Wel dat er iets heel erg niet deugde.

'Paul, luister.' Ze sprak zachtjes, fluisterde bijna. Maar ze was uitstekend te verstaan. 'Ik heb je al verteld dat ik niet gek ben volgens de dokter, omdat ik er rond voor uitkom. Ik weet dat jij er anders over denkt en anderen ook, maar ik ben niet gek. Goed, ik gedraag me een beetje anders dan de meeste mensen. Maar wat zegt dat? Hebben de anderen gelijk omdat zij met meer zijn? Kom nou toch! Jij kunt dat begrijpen, jij bent ook anders dan de anderen. Kijk naar je T-shirt. Wie draagt er nou zulke T-shirts? Snap je?'

'Ik snap er geen ene fuck van,' mompelde Paul. De misselijkheid had zijn hoofd bereikt.

'Je mag doen wat je hart je ingeeft. Mee eens? Goed, oké, alleen als het binnen de regels is. Maar welke regels? Jouw regels? Moet ik jouw regels volgen? Dan zat ik nog steeds ergens te kniezen. De regels van pa en ma? Pa speelt vals met kaarten en ma's regels ken ik niet. Ik volg mijn eigen regels. Ik ben erachter dat dat het verstandigst is. Je eigen geweten, je eigen verantwoordelijkheid, daar gaat het om. Begrijp je?'

'Nee. Je bent geschift.'

'Dat geef ik toe, en daarom ben ik niet geschift, dat had ik al uit-gelegd. Wil je nog wat drinken?'

'Nee, ik wil hier weg.'

'Dat gaat niet, lieverd. Ik was een tijdje geleden van jou. Helemaal, met alles wat ik had. En nu ben jij van mij. Wil je echt niks drinken?'

'Sodemieter op!'

'Dat wou ik net zeggen, ik moet ervandoor. Pa wil dat ik in het weekeinde op mijn kamer blijf. En drie weken uitgaansverbod! Kun je je toch niet voorstellen! Gelukkig is hij vandaag weg. Zo, ik ga.'

'Ho, wacht! Je kunt me toch niet hier laten zitten?'

'Waarom niet? Ik kom morgenochtend terug. Neem ik weer een lekker broodje voor je mee.'

'Alsjeblieft, Kim! Laten we nog even praten!'

'Geen tijd, lieverd. Oh ja, ik maak je stoel nog even vast aan dit snoertje. Niks om je druk over te maken. Je moet gewoon rustig blijven zitten. Accepteer dat jij nu even niet de baas bent. Dat ben je al lang genoeg geweest, wees eerlijk.' Kim trok een dun wit snoer van het plafond. Paul keek waar het snoer naartoe ging. Het kwam ergens uit bij de deur. Ze duwde een stekkertje in een con-trastekkertje. Daarna zette ze een schakelaar om bij de deur.

'Zo, klaar. Niet te veel bewegen met je stoel als ik weg ben, hoor. Dan trek je het stekkertje eruit en dat wil ik niet. Dan ben ik je kwijt. Dan is het van boem. Felix, je kunt van hem zeggen wat je wilt, maar hij was heel handig met snoertjes en rotjes en donder-bussen. Ik heb veel van hem geleerd.'

'Shit!'

'Ja. Rustig blijven zitten. En oh ja, ik ga door het raam naar buiten, want de deur zit nu aan je vast. Volgens mij weet niemand dat hier een boshut staat, maar je weet maar nooit. Ik wil geen risico's nemen, ik ben niet gek.' Kim lachte. 'Als de deur opengaat, schiet het stekkertje eruit. Boem! Liever niet, natuurlijk. Ik wil nog even van je genieten. Dag lieverd.'

19

Twee grote mannen van een jaar of vijftig waren aan het biljarten.
'Jouw beurt, Johan,' zei de ene. 'Wakker worden!'
'Eindelijk,' zei de ander. 'Er is geen lol aan met jou.' Hij stootte.
'Shit! Weer mis. Komt door die keu. Jij nog een biertje, Eelco?'
'Ja, en een saté.'
'Gerrit! Twee bier en twee saté!'
Berber zat te kijken en kon alles verstaan. De mannen praatten harder dan een halfuur geleden.
Het was kwart voor zeven.
Om zes uur was ze vol verwachting het oude dorpscafé binnengekomen. Om kwart over zes was de verwachting wat gezakt. Ze had alle mooie oude borden op de muren nu drie keer bestudeerd. Tegen halfzeven had ze een tweede breezer besteld. Die had ze tien minuten later op. Waar bleef hij nou? Hij was meestal op tijd.
En nu begon Berber zich zorgen te maken. Was er iets misgegaan? Ongeluk? Lekke band?
Alles wat ze wist, was dat Paul 's middags een afspraak had met Kim. Het zou niet langer duren dan een halfuurtje, had hij gezegd. Hij zou niet met haar praten, dat vooral niet. Hij zou alleen een paar dingen keihard zeggen. En om zes uur zou hij hier zijn.
Maar dat was hij niet.
Wat moest ze doen? Wachten? Tot hoe laat?
Berber besloot tot zeven uur te blijven zitten.
De grote mannen hadden hun saté op.
De man die Eelco heette, maakte weer acht punten.
Lange Johan zuchtte en bestelde weer een biertje.
Er kwam een wit hondje het café binnen. Gerrit gooide een frikandel. Het hondje pakte het bruine ding heel voorzichtig in zijn bek en slipte door de deur naar buiten.

Het was vijf voor zeven.

Berber stond op en rekende af. Ze wist wat ze moest doen.

Tweehonderd meter verderop woonde Paul. Het kon zijn dat hij daar was, om welke reden dan ook. Misschien had hij een andere tijd in zijn hoofd en dacht hij dat ze later hadden afgesproken. Misschien hadden zijn vader of moeder iets van hem gehoord. Misschien... ach, ze wist het niet. Maar hier blijven zitten, sloeg ook nergens op.

Berber was nog nooit bij Paul thuis geweest, maar ze wist waar hij woonde.

Ring!

Niets.

Ring!

Een dame deed open. Ze had een kamerjas aan en nat haar en een föhn in haar hand.

'Dag mevrouw, ik ben Berber. Ik had een afspraak met Paul in het dorpscafé, maar hij is niet gekomen. Is hij misschien thuis?'

'Nee, kind. Hij is heel weinig thuis de laatste tijd.'

'Heeft hij dan een bericht achtergelaten waar hij is?'

'Nee, het spijt me.'

'Ik maak me een beetje zorgen, mevrouw. We zouden vanavond uitgaan.'

'Tja, dat is Paul, hè? Altijd maar uitgaan.'

'Hij had een afspraak vanmiddag. Misschien is het uitgelopen. Weet u waar Paul heen is gegaan?'

'Geen idee. Of, wacht. Hij moest naar Jebsteyn, geloof ik. Ging hij vroeger ook vaak heen. Zwemmen. Gek, hij had niks bij zich, toen hij wegging. Verder weet ik het niet, lieve kind.'

'Wilt u zeggen dat ik geweest ben, als hij thuiskomt? Dag mevrouw.'

'Dag meisje.'

Jebsteyn.

Ze moest naar Jebsteyn.

Er was iets misgegaan. Paul zou nooit zo lang wegblijven als er niet iets was misgegaan.

Kim.

Kim was vreemd.

Gestoord, zei Paul.

Kim. Jebsteyn. Paul.

Berber kreeg een rotgevoel in haar maag.

Ze keek nog even in het café van Gerrit. Geen Paul. Daarna fietste ze als een speer naar de stad, door de stad en de stad uit, richting het landgoed. Ze was er wel eens geweest met haar ouders.

Een kwartier later merkte ze dat ze zweette. Terwijl ze bijna nooit zweette.

Na veertig minuten sloeg ze linksaf het bos in. Het rook er heerlijk, maar ze rook niks. Nog twee minuten over een soort oprijlaan, toen was ze er.

Hijgend zette Berber haar fiets tegen een oud muurtje. Ze liep de trap op van het kolossale huis Jebsteyn. De ouderwetse trekbel zat rechts van de dubbele voordeur.

Berber trok.

Het raam was niet groot, misschien zeventig centimeter in het vierkant. Het stond halfopen.

Veel kon Paul niet zien van de buitenwereld. Ja, takken, bladeren en boomstammen. Bos. Maar geen huizen, geen weg, geen auto's. Wat belangrijker was, geen mensen.

En mensen had hij nodig.

Hij had geprobeerd of hij zijn handen los kon krijgen.

Geen schijn van kans.

Zijn voeten dan.

Nee dus.

En alles moest heel voorzichtig.

Het stekkertje. Achter zijn rug, ergens aan de leuning, zat het stekkertje. Waar precies kon hij niet zien. Misschien als hij zich in bochten zou wringen, maar dat durfde hij niet. De stoel mocht niet verschuiven.

Naast de deur zat de kleine schakelaar. Eén klik en het systeem was uitgeschakeld. Paul piekerde zich al een halfuur suf hoe hij die knop kon bereiken.

Erheen hoppen kon niet. De stekker zou losschieten.

Een stok? In de hoek van de kamer stond een paraplu. Te kort en te ver weg. Een touw dan. Ja, om zijn polsen. Had hij niks aan.

Iets gooien. Het knopje raken. Klik! Systeem uitgeschakeld. Prachtig. Hij had euro's in zijn zak. Kwestie van goed mikken. Maar hij kon niet gooien, zijn handen zaten vast.

Spugen.

Blazen.

Hopen.

Dit schoot niet op.

Paul voelde dat zijn darmen bezig waren. Het rommelde daarbinnen. Hij herkende de krampen. Laatst had hij dat ook gehad, op straat. Toen haalde hij nog net de wc van de school. Het had toen geen seconde langer moeten duren.

Geen paniek, wel angst.

Hoe moest dit verder? Wat was Kim van plan? Hoe lang moest hij hier blijven zitten?

Machteloosheid. En ongeloof. Dit bestond niet. Straks kwam ze gewoon binnen. Grapje!

Het kon niet. Totale onzin.

Een stekker.

Een bom.

Nee.

Maar het was wel zo.

Berber hoorde het geklingel naklingelen, als een echo.

Een minuut later trok ze nog een keer aan de bel.

Er blafte een hond, maar die deed niet open.

Wat nu?

Paul was naar Jebsteyn gegaan, dat was alles wat ze wist. Het huis heette Jebsteyn. Maar het landgoed ook. Had Paul ergens anders afgesproken? Ergens anders op dat immense terrein? Waar dan? Was er nog een huis? Een hut? Een plek die geschikt was om iets af te spreken?

Hier was niemand thuis, dat leek duidelijk.

En als er iemand was, deed die niet open.

Dit had geen zin.

Berber pakte haar fiets en reed een bospad in. Zomaar een pad, ze had net zo goed een ander kunnen nemen. Ze had geen flauw idee waar ze heen moest.

Er waren plassen waar ze doorheen moest. Modder. Bijna slipte ze, ze kon zich nog net met een been opvangen. Een natte voet. Verder moest ze, hier was niets. Alleen een beukenbos en braamstruiken rechts, en links hoog opgeschoten eikenhakhout.

Modder en plassen, bramen en beuken, dat was alles.

Geen Paul.

Wachten.

De krampen werden erger. Paul probeerde met zijn onderlijf zijn darmuitgang dicht te knijpen. Even later deed zijn hele lichaam mee. Hij voelde dat zijn hoofd rood werd.

Het werkte. Hij wist het zaakje terug te sturen in zijn hok.

Hè, dat luchtte op. Blijf! Blijf daar!

Pfff.

Hoe laat zou het zijn? Een kwartier later misschien. Of een halfuur later. Of een uur. Hoe lang duurt een avond? Een nacht?

Paul draaide heel voorzichtig een beetje met zijn armen. Zijn schouders deden pijn vanwege de rare houding waarin hij zat. Met zijn benen was hij nog voorzichtiger. Die voelden ook niet goed, maar bewegen of verzitten leek hoogst onverstandig. De stoel waar hij op zat was oud en niet erg stevig. Stel dat de poten het begaven. Of dat ze verschoven.

Kim blufte! Natuurlijk blufte ze!

Het knalde in zijn kop. Het was belachelijk om te geloven dat een meisje een bom had geknutseld. En dat ze die met stekkertjes aan een stoel had vastgemaakt en op scherp had gezet. Alles van tevoren klaargemaakt, terwijl ze niet eens wist dat hij zou komen.

Belachelijk!

Onzin!

Alleen een volslagen gestoorde zou zoiets doen!

Die gedachte hielp niet echt.
Blufte Kim?

Twee keer moest Berber afstappen. Het pad was hier en daar over-woekerd door uitgegroeide braamstruiken. Haar broek zag er niet mooi meer uit. Vol met modder. Maar er zaten nu ook een paar gaten in haar broek. Dat krijg je als je vastzit in de stekels en je je lostrekt.
Het gaf niet. Totaal niet belangrijk. Zoeken, moest ze.
Ze zou Paul vinden.
Nog een paar keer viel ze bijna. Het gaf niet.
Ze zou Paul vinden.

Ja, Kim blufte.
Maar hij kon het risico niet nemen, had hij besloten. Hij moest wachten. Zich voorbereiden op een lange nacht.
Paul keek om zich heen. De kaarsjes waren allemaal uit, op één na. Die kan het nooit meer lang uithouden, bedacht hij. Kijken. Ik wil hem zien uitgaan. Hij heeft al gewonnen, maar is het een grote winnaar? Hoe lang redt hij het nog? Zet hij een nieuw wereldre-cord neer?
Het waxinelichtje flakkerde nog even en ging toen als een nacht-kaars uit.
Wat zal ik nu eens doen? Kon ik maar slapen.
Maar Paul was klaarwakker.
Hij keek omlaag. En zag zijn bluesharp. Die hing zo'n twintig cen-timeter onder zijn kin.
Ik wil spelen, dacht Paul. Maar hoe?
Hij probeerde met zijn kin onder het koordje te komen. Dat lukte wel, maar verder kwam hij niet. Het touwtje gleed er telkens af.
Met zijn mond dan. Geen bluesharp, wel scherpe steken in zijn nek.
Volhouden!
Zijn tong. Met het puntje slipte Paul onder het koordje en stak zijn hoofd naar voren. De mondharmonica was langs het touwtje ge-

gleden en hing nog steeds op zijn borst. Nu hij het koord in zijn mond had, begon hij het naar binnen te werken. Hij kauwde het tot een balletje. Uiteindelijk hing de bluesharp vlak onder zijn kin en kon Paul hem pakken met zijn lippen.

Hij had hem niet goed in zijn mond, hij viel er bijna weer uit. Hij gooide zijn hoofd achterover en had hem. Vol en stevig tussen zijn lippen. Zoals het hoorde, zoals hij hem vasthad als hij speelde. Hij kon hem niet heen en weer bewegen. Dat ging niet zonder handen.

Maar Paul had zijn tong nog. Die kon wel heen en weer. Veel variatie zat er niet in, maar het klonk zoals hij wilde.

Tioe tu tu tioe.

Paul deed zijn ogen dicht.

Tioe tu tu tioe.

Mooi. Bijna vergat hij... nee, dat was overdreven.

Het hielp wel.

Tioe tu tu tioe.

Het weggetje kwam uit op een driesprong. Berber stapte af. Waar moest ze nu heen? Ze keek, ze tuurde, ze spiedde. Ze zag alleen bomen. Maar ze hoorde wel wat!

Heel vaag, soms was het weg, dan weer net hoorbaar alsof het met de wind meewaaide, een geluid dat je in deze omgeving niet zou verwachten. Een bekend geluid. Een mondharmonica. Ergens schuin rechts van haar.

Berbers hart begon te bonken. Ze sprong op haar fiets en sprintte het pad op dat naar rechts ging.

Het waren geen flarden meer van muziek, de mondharmonica was nu goed te horen. Paul moest vlakbij zijn. Links, achter die struiken. Berber zette haar fiets tegen een boom en verliet het pad.

Eerst door een greppel, toen onder de takken van een braamstruik door en daarna over dennentakken die de weg versperden. Ze zat onder de spinnenwebben.

En opeens stond ze voor een bruine hut.

Het was nu stil. Doodstil.

Kennelijk stond ze bij de achterkant van het gebouwtje, er was geen deur of raam te zien. Berber volgde de houten wand naar rechts en liep langs de zijkant naar de voorzijde van de hut.

Twee ramen en een deur in het midden. Het verste raam stond op een kier. Ze liep naar de deur en keek in het voorbijgaan door het eerste raam. Niets te zien, behalve een stoel, een haard, houtblokken.

De deur. Zou die op slot zijn?

Toen Paul na een lange riedel op zijn bluesharp even adem moest halen, had hij wat gehoord. Geritsel. Geknak van takjes.

Er was iemand, daarbuiten. Kim? Een wandelaar?

Nog even luisteren.

Voetstappen aan de achterkant van de hut. Aan de zijkant. De voorkant. Shit! De deur! Als het Kim was, zou ze doorlopen naar het raam. Maar als het Kim niet was, dan zou...

Paul voelde een paniek opkomen. Hij spuugde de mondharmonica uit. Bijna hoopte hij dat het Kim zou zijn.

Geen voetstappen meer, wie het ook was, hij of zij stond stil. En niet voor zijn raam.

Voor de deur dus.

Paul zweette. Hij staarde naar de deurkruk.

Heel, heel langzaam begon die te bewegen. Hij ging omlaag.

'Stop! Niet doen! Afblijven! Niet aan de deur komen!'

De kruk ging weer omhoog.

'Blijf van de deur af, anders ontploft de boel!' Paul probeerde te schreeuwen, maar het was meer een soort rauw gehoest. 'Het raam! Het open raam! Kom naar het raam!'

Twee seconden later zag hij Berber. Intense opluchting. 'Pfff,' was alles wat eruitkwam.

'Sjonge, wat zit jij er raar bij,' zei ze.

'Alsjeblieft, kom naar binnen. Door het raam. Nergens aankomen, ze heeft hier alles op scherp gezet.' Paul hijgde.

Berber klom door het raam en liep naar Paul.

'Dag Paul. Hoe is het met je?' Wat een stomme vraag, dacht ze. 'Ik zal je losmaken. Wat is er gebeurd?' Berber bukte en rukte aan het touw om zijn polsen.

'Ho! Even wachten!'

'Waarom? Wat is er?'

'Je moet het heel voorzichtig doen. Als de stoel verschuift, ontploft alles. Zie je dat stekkertje achter mijn rug?'

'Ja.'

'Daar zit een snoer aan dat naar de deur loopt.'

'Ik zie het.'

'En bij de deur zit een schakelaar, daar zit het snoer in.'

'Ja?'

'En die staat op scherp. Doe alsjeblieft heel voorzichtig.'

'Paul?'

'Ja? Kijk alsjeblieft uit.'

'Ik kan dus ook gewoon naar de deur lopen en die schakelaar uit-zetten?'

Dat was nog niet in zijn paniekhoofd opgekomen. Natuurlijk! Zo eenvoudig was het!

Maar zo eenvoudig was het helemaal niet.

Wel als ze alleen waren geweest.

'Ik dacht: wanneer komen ze erop. Behoorlijk snel, dus.' Kim sprong via het raam de kamer in en was in drie passen bij de deur. Ze pakte de klink met haar linkerhand en stak haar rechter op.

'En nu blijven staan, anders doe ik de deur open.'

'Dan ben jij er ook geweest,' zei Paul.

'Ja, wij alledrie. Tot in de eeuwigheid bij elkaar. Mooi, hè?'

'Je bent gek.'

'Daar hebben we het al over gehad.' Kim lachte. 'Ik dacht, ik ga nog even met mijn vriendje spelen. Zo vaak komt hij niet op be-zoek. En wie zien we daar opeens voorbijfietsen? Slettemans!' Kim lachte niet meer, haar lippen waren smal en dun. 'Dus jij wou mijn partijtje komen verpesten? Dat is niet slim, stomme miep. Paul heeft je vast wel verteld dat ik een kwetsbaar meisje ben. Dat ik erg van slag kan raken als iemand me plaagt en dwarszit.'

'Kim, laten we hier weggaan en erover praten. Dit heeft geen zin. Het wordt zo alleen maar erger,' zei Berber.

'Mond dicht, slettekop. Ik ben hier de baas.' Kim haalde een nylon-koord uit haar zak. 'En omdat je hier nu toch bent, gaan we er wat gezelligs van maken. Hoe meer zielen, hoe meer vreugd.' Ze gooi-de het koord naar Berber. 'Vastmaken!'

'Hoezo? Wat vastmaken?'

'Wat denk je? Jezelf! Koord om je ene pols. Knopen. Strak aantrek-ken. Het koord dan aan de stoel vastmaken. En aantrekken. Voor-zichtig met die stoel!'

'Ik kan met één hand geen knoop maken. Als je dit per se wilt, moet je me helpen,' zei Berber.

'Ja, dag! Ik ben niet gek! Ofwel, Paul? Schiet op, maak vast!'

Berber begon wat te klooien. Het lukte niet erg, leek het.

'En nou tempo, of ik doe de deur open!'

Toen ging het beter.

'Goed zo! Ik wist dat je het kon! Zo, nu even rustig blijven. Andere hand naar beneden, anders geef ik die stoel een schop.' Kim liep naar Berber toe, die in een ongemakkelijke houding tegen Paul aan stond. Kim maakte nog een paar knopen extra en trok ze met beide handen strak aan.

'Au,' zei Berber.

'Jij weet niet wat pijn is. Pijn komt niet vanbuiten, dat zit vanbin-nen. Zo, klaar.'

'En wat nu?' vroeg Paul. 'Wat ben je van plan?'

'Dit is ons feestje. Met ons drietjes. En op feestjes hoor je foto's te maken.' Kim liep naar de kast en pakte de camera die aan het haakje hing. Ze haalde hem uit het tasje en ging voor Paul en Ber-ber staan.

'En nou even lachen, hoor! Anders wordt het zo'n trieste foto. Ik heb toch al zoveel trieste foto's, die wil je niet zien. Kom op, la-chen!' Kim drukte op de knop. De camera flitste. 'Mooi!'

'Wat is dit voor ziek gedoe, Kim! Hou nou eens op! Maak ons los!' Paul wist dat het geen zin had.

'Het is zover. Het is de hoogste tijd, ik moet nodig gaan. Ik laat jullie alleen. Dat wilden jullie toch? Lekker samen? Stilte, rust? Eeuwige rust, misschien? Ik heb een groot hart. Ik zal me er niet meer tegen verzetten. Zie het als een groots geschenk.' Kim hing de camera over haar schouder. Ze liep naar de kast en haalde een plastic zak uit een laatje. Eén voor één pakte ze de fotolijstjes en deed die heel voorzichtig in de tas. Even keek ze omhoog naar de roze poppen op de bovenste planken. 'Sorry, meisjes,' mompelde ze.

'Dus je gaat weg,' zei Paul.

'Dat zei ik, ja.'

'En je laat ons hier barsten.'

'Leuk geformuleerd.' Kim klom het raam uit en keek nog één keer om. 'Jammer, Paul. Ik had je zoveel te geven.'

Weg was ze.

20

Tien seconden konden ze niets zeggen. Ze keken naar het raam en luisterden.

'En nu?' vroeg Paul.

'Ik heb een hand vrij. Ik probeer eerst mijn andere hand los te maken. En dan die van jou.'

'Voorzichtig!'

Berber begon aan de knopen op haar pols te pulken. De bovenste, de laatste die Kim had aangesjord, zat muurvast. Het nylon bobbeltje was keihard, het uiteinde wilde er niet onderdoor.

'Ik krijg hem niet los,' zei Berber.

'In mijn zak zit een balpen. Misschien kun je die ertussen frommelen.'

Ze probeerde het. Beetje bij beetje ging de bovenste knoop los.

'Gelukt!' zei Berber.

'Mooi.'

'Nu nog drie,' zei Berber.

De volgende ging iets makkelijker. Die ging los zonder hulpmiddelen.

'Bijna klaar,' zei Berber.

'Luister eens?' Paul keek naar links. 'Ik hoor wat.'

Berber stopte even en luisterde.

'Ik hoor ook iets.'

'Water. Het lijkt wel het klotsen van water.'

'Achter de hut.'

'En nu aan de zijkant.'

'Ja.'

'Het stinkt.'

'Ja. Het is geen water.'

'Nee.'

'Het ruikt naar verfverdunner, of zoiets,' zei Berber.

'Of spiritus,' zei Paul.

'Spiritus. Spiritus! Shit!' riep Berber. 'Daar kun je alles mee in de hens steken!' Berber begon als een bezetene aan de volgende knoop te peuteren. 'Hij zit vast! Het gaat niet!'

'Rustig aan, niet in paniek raken.' Pauls stem trilde. 'Gebruik de balpen.'

Het klotste nu tegen de voorkant van de hut, vlak bij het raam.

'Nog één,' hijgde Berber.

De laatste knoop zat muurvast, alsof alle vorige knopen hadden meegeholpen. Berber prikte en duwde met de pen, maar het lukte niet die ergens onder te krijgen.

'Berber! Ze doet het! Fuck! Ze heeft de zaak aangestoken!'

Geknetter links. Buiten, dat wel.

'Schiet op! We moeten hier weg!' Paul rukte aan zijn polsen, wilde zijn voeten losschoppen, maar wist dat het geen zin had. Hij moest blijven zitten, wachten, hopen dat het Berber zou lukken.

'Ik ruik het! Vuur! Berber, alsjeblieft!'

Berber zei niets. Ze was geconcentreerd aan het werk. Haar vrije hand deed het niet goed meer, ze had kramp. Maar ze moest doorgaan.

Heel, heel langzaam kwam er een stukje koord naar boven. De pen was nog te dik om het los te wrikken, maar als ze zo doorging, dan...

'Rook! Er komt rook naar binnen!'

'Even stil blijven zitten, Paul. Ik ben er bijna.' Dat hoopte ze hartgrondig. Maar met hopen krijg je geen knopen los.

Het knetterde nu aan twee kanten. Er kwam grijze rook naar binnen. Door het raam en vanonder de deur.

'Het gaat niet! Ik krijg hem niet los!' riep Berber.

'Shit! Het moet! De hut fikt af! Of anders ontploft hij wel!'

Het geknetter kwam nu van alle kanten. Vette rook vulde de kamer.

Berber vocht met de knoop, maar ze had bijna geen kracht meer in haar hand. De pen! De pen moest ertussen! Duwen! Prikken! Volhouden!

Paul was machteloos en keek beurtelings naar de hand van Berber en naar het raam. Dat werd steeds moeilijker te zien. Dikke wolken kropen over het kozijn.

Een vlam.

Er plofte een vlam door de wand naast het raam. Eén keer, twee keer, toen bleef de vlam aan. De binnenwand van de hut brandde. Een meter van de deur.

Paul werd opeens rustig. Hij begreep er niets van, het ging vanzelf. Alles verloren, het was over. Rook, vuur, ontploffing, er was geen ontsnapping mogelijk. Verzet was zinloos. En dus verzette hij zich niet meer. Laat maar, het is te laat, wilde hij zeggen, maar er kwam geen geluid uit zijn mond.

Op twee plaatsen brandde de kamer. De boekenkast begon met een klein vlammetje aan de linkerkant en stond in een mum van tijd in lichterlaaie. Paul keek geobsedeerd naar de roze poppen op de bovenste planken. Eén voor één vatten ze vlam en verschrompelden tot zwarte lijkjes.

'Los! Ik ben los!' Berber gooide het koord weg en rende naar de deur. Binnen een seconde had ze de schakelaar omgezet. Ze gooide de deur open. 'De deur! We moeten eruit!'

Paul schrok op. Eruit? De deur?

'Kom op! Meewerken!' Berber begon aan de stoel te trekken.

Het vuur vrat inmiddels aan de vloer. De kast en de rechterwand brandden van onder tot boven. Vlammen bij het raam.

Paul zat nog steeds vast, maar hij was weer wakker. Hij dook voorover en probeerde zich met zijn voeten in de richting van de deur te werken.

'Maak me los! Maak me los!' schreeuwde hij.

'Geen tijd!' Berber was niet groot, niet sterk, toch sleurde ze Paul met zijn stoel naar de deur. Ze had zwarte vegen op haar gezicht.

Nog twee meter. De vlammen haalde hen in. De vloer achter hen brandde inmiddels als een fakkel.

'Trek je kop in! Ik duw je naar buiten!'

Berber duwde en Paul kantelde met zijn stoel over de drempel. Even later had ze hem als een sneeuwbal weggerold, uit de buurt van de brandende hut.
Weg van de hel.

21

'Zachtjes,' zei Berber. 'Je mag er wel een kusje op geven, maar alleen heel zachtjes.'

'Ik hou helemaal niet van hard zoenen.' Paul drukte zijn lippen heel voorzichtig op het korstje op Berbers arm. 'Doet dat pijn?'

'Dat was weer iets té zacht. Nog een keer.'

'Zo?'

'Dat is beter. Nou hier.' Berber wees naar een ander plekje.

'Daar ben je helemaal niet gewond!'

'Nog niet, nee. En hier ook niet. En daar ook niet.'

'En hier dan?'

'Zachtjes. Iets hoger. Eh... Mag best wat...'

Het terras was bijna leeg. Niemand keek.

'Berber?' Paul ging rechtop zitten.

'Ja?'

'Wat doe je morgen na halfvier?'

'Na het verhoor, bedoel je?'

'Ja, als we het hele verhaal voor de zoveelste keer hebben verteld.'

'Och, weet ik nog niet. Lekker in bad of zo.'

'En dan?'

'Dat klopt.'

'Wat bedoel je met "dat klopt"?'

'Niet zo naïef, Paul Dupont. Doe maar een voorstel.'

'Noorderplantsoen, tweede treurwilg rechts, eerste bankje links.'

'Had ik ook in mijn hoofd. Paul?'

'Ja?'

'De boshut. Die is helemaal afgefikt, of niet.'

'Ja, wat is daarmee?'

'Geen knal, geen ontploffing.'

'Nee.'

'Beetje raar, als het zaakje ondermijnd was.'

'Dat heb ik ze ook verteld. De politie zei dat als er springstof had gelegen, die waarschijnlijk ontploft zou zijn.'

'Waarschijnlijk.'

'Waarschijnlijk, ja. Ze onderzoeken het nog.'

'Dus ze blufte toch.'

'Ja.'

'Denken ze.'

'Ja, dat vermoeden ze.'

Paul pakte Berbers hand en aaide die met zijn duim. Hij keek Berber aan. Ze keek naar haar hand.

'Mooie kerel trouwens, die John,' zei Paul.

'Ja, leuke man.'

'Ik bedoel, mooi dat hij het geregeld heeft.'

'Bij Foney Fono.'

'Ja. We hebben de vrije hand gekregen. Ik ben met een nieuwe solo bezig.'

'Wat kan die John mooi zingen, zeg.'

'Dat vond Bollie van Foney Fono ook. John gaat een cd opnemen.'

De kroegbaas begon de terrasstoelen op elkaar te stapelen. Hij keek erbij of hij honger had. Of moe was. Of ziek.

'Ik geloof dat we weg moeten,' zei Berber.

'Ik wil niet weg.'

'Morgen, bij de treurwilg. Niet zo ongeduldig,' zei Berber. 'Kom, we gaan.'

Ze stonden op en liepen door de Oosterstraat naar de Grote Markt.

'Je loopt veel relaxter dan vorige week,' zei Berber. Ze hield zijn hand vast alsof ze hem nooit meer los wilde laten.

'Hoezo?'

'Je hebt nog niet één keer over je schouder gekeken.'

'Hoeft ook niet meer. Kim zit vast. Ze houden haar net zolang vast tot ze weten wat haar mankeert.'

'Ze kan daar dus niet weg.'

'Als het goed is niet, nee.'

Paul was bekaf.

Hij hoorde dat er nog een tv aanstond. Het geluid kwam van boven. Zijn moeders favoriete ziekenhuisserie waarschijnlijk.

Paul deed zijn schoenen uit en sloop de trap op. Hij moest er niet aan denken weer van alles uit te moeten leggen. Dat was de afgelopen dagen ook al niet gelukt. Sommige dingen waren gewoon niet uit te leggen.

Hij bereikte zijn kamer zonder gekraak.

Paul had geen zin om zijn handen te wassen. Te moe. En waarom zou hij? Berber had ze allebei geaaid en geknepen en vastgehouden. Schoner kon niet.

De bluesharp af. Spijkerbroek uit.

Zijn T-shirt.

Hij had nog nooit zo lang nagedacht over zijn T-shirt. Berber had niet gezien wat erop stond. Ze was niet aan zijn rug toegekomen. En daar stond nou juist op wat hij haar wilde vertellen.

Paul dook in bed.

De straatlantaarns waren allang uit.

Het waaide niet. Het regende niet. De boom aan de overkant stond daar niets te doen.

Er rende een poes over de stoep.

Iemand leunde tegen de boom.